αMプロジェクト2022

武蔵野美術大学出版局

判断の尺度

Have
something
that
defines
my
judgment

M

ご挨拶

武蔵野美術大学が企画運営するgalleryαMは、1988年に吉祥寺に開設以来、ゲストキュレーターによる新人発掘に主眼を置いた企画展を開催してきました。その後、2002年3月にいったんスペースを閉じ、その方針を引き継ぎながら、特定の場所を持たない展覧会企画の活動としてαMプロジェクトを展開しました。そして武蔵野美術大学創立80周年にあたる2009年、かねてより復活が待たれていた恒常的なギャラリースペースを千代田区東神田にオープンしました。

　2022年度はゲストキュレーターに豊田市美術館学芸員の千葉真智子氏を迎え、連続展「判断の尺度」を開催いたしました。本カタログにはテキスト、会場風景の写真、アーティストトークなどの展覧会の記録に加え、千葉氏による書き下ろしの各作家論、東京大学大学院総合文化研究科准教授の星野太氏による寄稿を収録しております。

　galleryαMは2023年5月より市ヶ谷に移転し、活動を展開しています。本展は14年間に渡りさまざまな活動を行なった馬喰町での最後の企画です。

　開催にあたり、ご尽力いただいた各作家の皆様、ゲストキュレーターをつとめて下さった千葉様、またご協力いただいた関係者各位に心より御礼申し上げます。

2023年11月
武蔵野美術大学 αMプロジェクト運営委員会

Foreword

"gallery α M," planned and operated by Musashino Art University since its establishment in Kichijoji, Tokyo in 1988, has engaged in presenting exhibitions organized by guest curators that place focus on discovering and introducing new talent. Although eventually closing its doors in March 2002, the "α M Project" was subsequently developed as a project-based exhibition that inherited the philosophies of its predecessor while not being designated to a specific space or location. Later in 2009, in correspondence to the 80th anniversary of Musashino Art University, a long-awaited permanent gallery space was opened in Higashi-kanda in Tokyo's Chiyoda ward.

For the year of 2022, the gallery welcomed Machiko Chiba (Curator, Toyota Municipal Museum of Art) as guest curator and held a series of exhibitions titled, "Have something that defines my judgment." This catalog features essays, installation images, and documentation of the artist talks of each exhibition, including newly written essays by Chiba on each artist and a written contribution by Futoshi Hoshino, Associate Professor of the Graduate School of Arts and Sciences, the University of Tokyo.

gallery α M relocated to Ichigaya in May 2023, and has since continued to expand its activities. This series of exhibitions were the last to take place in Bakurocho, where the gallery had conducted various projects over the past 14 years.

We would like to express our sincere gratitude to all the artists for their time and effort in realizing this exhibition series, Machiko Chiba who served as guest curator, and to all individuals and organizations involved for their generous cooperation and support.

November 2023

Musashino Art University Steering Committee for α M Project

展覧会概要

αMプロジェクト2022　判断の尺度

会期｜2022年4月16日｜土｜—2023年3月11日｜土｜
会場｜gallery αM
主催｜武蔵野美術大学
運営｜武蔵野美術大学 αMプロジェクト運営委員会

ゲストキュレーター｜千葉真智子（豊田市美術館学芸員）

vol. 1　高柳恵里｜比較、区別、類似点
2022年4月16日｜土｜—6月10日｜金｜
アーティストトーク 高柳恵里×千葉真智子　5月14日｜土｜18:00−

vol. 2　加藤巧｜To Do
2022年6月18日｜土｜—8月6日｜土｜
アーティストトーク vol. 1 加藤巧×千葉真智子　7月9日｜土｜18:00−
アーティストトーク vol. 2（オンライン）加藤巧×千葉真智子　7月19日｜火｜20:00−

vol. 3　荒木優光｜そよ風のような、出会い
2022年8月27日｜土｜—10月15日｜土｜
パフォーマンス「ファーストバースデイ」　10月8日｜土｜18:00−
アーティストトーク 荒木優光×千葉真智子　10月8日｜土｜18:30−

vol. 4　大木裕之｜tiger/needle とらさんの墨汁針
2022年10月29日｜土｜—12月17日｜土｜/12月23日｜金｜（搬出パフォーマンス: 12/20−12/23）
アーティストトーク＋パフォーマンス vol. 1 大木裕之×千葉真智子　12月9日｜金｜18:00−
アーティストトーク＋パフォーマンス vol. 2 大木裕之　12月17日｜土｜18:00−

vol. 5　高嶋晋一＋中川周｜無視できる
2023年1月14日｜土｜—3月11日｜土｜
アーティストトーク 高嶋晋一＋中川周×千葉真智子　2月4日｜土｜18:00−

αMプロジェクト運営委員会
袴田京太朗（ディレクター）
間島秀徳
小林耕平
冨井大裕
是枝開
赤塚祐二
河野通義

gallery αM運営スタッフ
神祥子
清原啓
関貴尚
成澤果穂
村松珠季

About the Exhibition

αM Project 2022　**Have something that defines my judgment**

Dates: April 16, 2022 – March 11, 2023
Venue: gallery αM
Organizer: Musashino Art University
Direction: Musashino Art University Steering Committee for αM Project

Guest Curator: Machiko Chiba [Curator, Toyota Municipal Museum of Art]

vol. 1　Eri Takayanagi: Comparison, Distinction, Points of Similarity
April 16 – June 10, 2022
Artist's Talk: Eri Takayanagi × Machiko Chiba, May 14, 18:00−

vol. 2　Takumi Kato: To Do
June 18 – August 6, 2022
Artist's Talk vol. 1: Takumi Kato × Machiko Chiba, July 9, 18:00−
Artist's Talk vol. 2 (online): Takumi Kato × Machiko Chiba, July 19, 20:00−

vol. 3　Masamitsu Araki: The Breeze and You
August 27 – October 15, 2022
Performance: "First Birthday", October 8, 18:00−
Artist's Talk: Masamitsu Araki × Machiko Chiba, October 8, 18:30−

vol. 4　Hiroyuki Oki: tiger/needle
October 29 – December 17 / December 23, 2022 (Carry-out performance: 12/20−12/23)
Artist's Talk + Performance vol. 1: Hiroyuki Oki × Machiko Chiba, December 9, 18:00−
Artist's Talk + Performance vol. 2: Hiroyuki Oki, December 17, 18:00−

vol. 5　Shinichi Takashima + Shu Nakagawa: Negligible
January 14 – March 11, 2023
Artist's Talk: Shinichi Takashima + Shu Nakagawa × Machiko Chiba, February 4, 18:00−

Musashino Art University
Steering Committee for αM Project:
Kyotaro Hakamata [Project Director]
Hidenori Majima
Kohei Kobayashi
Motohiro Tomii
Hiraku Kore-eda
Yuji Akatsuka
Michiyoshi Kohno

gallery αM Staff:
Sachiko Jin
Kei Kiyohara
Takanao Seki
Kaho Narusawa
Tamaki Muramatsu

目次　　　　　　　　　　　　　　Contents

判断の尺度

全ては平等に。その呼びかけは、平等であるために過度なまでの正しさを私たちに求める。しかし正しさとはそもそも何だろう。それはときに一つの原理へと向かい、小さな個別の差異を見えなくしてしまうだろう。いうまでもなく、平等であることは同じであることを意味しない。同じでないものを等しいというとき、私たちは尺度を一つにして、個々についてのそれぞれの評価や判断を手放さなければならないのだろうか。そうではなく正しさを超えて区別し、言葉を与えようとすること。それには、私たちが手垢のついた言葉自体を作り直す必要がある。美術と呼ばれるものが少なくとも造形に関わる行為であるならば、その造形＝言葉を練り、拠り所にすることで、尺度自体について問い、判断自体を創造的に作ることができるのではないだろうか。独りよがりになることなく、普遍的な外部をもつものとして。

私の判断が普遍性をもつかどうかは他者の判断に賭されている。私の判断を支えるものとして、私の外部を召喚すること。そこで想定されるのは、予め同じ尺度を持たないもの、置き換えできないものであり、その困難な対話が新たな言葉と批評を開く可能性の種となる。

I年の企画をとおして、それぞれの作家とともに判断の尺度について考えてみたい。これまでの尺度を手放して作り直す。この造形＝言葉による判断は、世界を測る尺度となる。だからこの行為は、静かに深く政治的でもある。

千葉真智子

Have something that defines my judgment

Equality for all. This appeal for equality enforces upon us an excessive level of correctness.
But what is correctness? Perhaps it is that which at times tends to be tied to a single principle,
thus causing small individual differences to be obscured. Needless to say, being equal does
not mean being the same. When we consider things that are not the same to be equal, must we all
unify our standards and abandon our individual evaluations and judgment towards these
respective subjects? Instead, we must attempt to differentiate and describe things in a way that
transcends this alleged concept of correctness. In order to do so, it is necessary for us to
discard of exhausted terminology to propose a new vocabulary. If what we refer to as art is at least
an act that entails giving shape to things, it is perhaps possible to question the nature of
standards themselves and creatively produce judgments through orchestrating forms = vocabulary
and relying on them as a foothold. In other words, things that are not complacent and have
a universal exterior.

Whether or not my judgment harbors a sense of universality depends on the judgment of others.
As a means to support my judgment, I summon what lies outside of myself. What is presumed here
is the presence of something that does not have the same predesignated standard—something which
cannot be replaced. This complex dialogue becomes the seeds of possibilities that give rise to new
vocabulary and critique.

Throughout this year's project, I would like to work together with artists in contemplating
what it is that defines our judgment. To let go of standards thus far to create new ones from scratch.
In this manner, judgment by means of form = vocabulary becomes standards for measuring
the world. For this reason, it could indeed be considered as a quiet yet profoundly political act.

Machiko Chiba

到来する他者に向けて

—

千葉真智子

「いいものもある、だけど、悪いものもある」。本論に取り掛かろうとしていたちょうどその時期に、久々に耳にしたこの単純なフレーズは、1975年から83年にかけて活動した、桑原茂一、小林克也、伊武雅刀によるユニット、スネークマンショーが、YMOをゲストに迎えて収録したコント「若い山彦」のなかで、オチとして繰り返し述べた有名なセリフである。5万枚ものレコードを持っているけれどそれで分かったのは（小林）／1日に8時間ロックを聴いて分かったのは（伊武）、結局、「いいものもある、だけど、悪いものもある」ということで、なぜ良いのか、なぜ悪いのか、どこが良いのか、悪いのか、その根拠はそっちのけで、二人が互いの経験値、経験の深度を挙げ連ねて、同じ一つの結論を自分の主張だと競い合うのが、馬鹿らしくも面白い。

俗っぽい話題から始めたが、この楽観的にもみえる単純なやり取りはしかし、一つの真理をついているようにもみえる。それは、美学が長年にわたり拘ってきた根本問題＝困難であり、加えて重要なのは、こうした物言いに対して、いま2020年代に生きる人々が取るであろう態度のうちに、「判断」をめぐる今日的な問題もが浮かび上がってくるということである。以下に見ていこう。

—

まず第一に、「良いもの」と「悪いもの」、この二つは説明ぬきに、説明し難くもそうでしかないものとしてあるのだろうか。それは、二人がいうように、何千、何万という「経験」の量によって、判断可能になるのだろうか。むしろ逆に、良い／悪いの判断は、経験を超えた直感に由来するのだろうか。

あるいはこうも言えるだろう。良い／悪いは、「僕にとって」良いもの、「僕にとって」悪いものという個人的な趣味判断に由来し、共有できないものとしてあるのか。むしろ、僕にとって、を超える超越論的統覚ゆえに、説明不要に良いものであり、悪いものであるのか。

この実に「美学的」ともいえそうな問題設定に対してはしかし、今日、このようにあっけらかんと「良い」「悪い」を述べること自体が憚られているのではないか。というのも、「いいものもある、だけど、悪いものもある」という発言の裏にあるのは、「そんなふうになんでも存在していい」という相対主義であり、それ自体は寛容な理想的態度のようでありながら、見方を変えれば「悪いもの」に対する無責任なあり方ともとれるからである。このある種の「軽薄さ」は、1960年代の闘争と挫折の時代を経て、70年代末から80年代の社会を覆ったポスト・モダン的思潮の典型とされるものだろう（「軽薄さ」といえば、椎名誠らが当時展開した「昭和軽薄体」のことを思い出してみてもよいだろう。ただしそこには闘争から逃走することで言葉（＝権威）を転覆させるような潜在力があったとも言える）。しかし、2020年代に生きる私たちは、逃避、逃走することなく、正しく発言するために責任を持たなければならない（らしい）。

ここに一つの置換が起こる。良い／悪いの価値判断は差別になり得る。芸術においてはもっとシリアスに、善い／悪いについて考えなければならない。

本論は、昨今認められる、このすり替えに対する漠とした居心地の悪さを一つの契機としている。

果たしてこうした組み替えは妥当なのだろうか。倫理と政治を芸術に「持ち込む」という発想それ自体に問題がないか。先行する思想と具体的な事例の導きのもと、そこで以下に、二つの目の問いからはじめて、一つ目の問いに遡りつつ考えを進めていこう。

———

繰り返しに近いが、芸術において今日もっとも大きな枷となっているものの一つは、あまりに大きくなった「正しさ」あるいは「正しさを気にかけること」への配慮と要請ではないだろうか。この見えない（けれどあからさまな）プレッシャーは、とりわけ現代アートと呼ばれる領野において、私たちの選択や判断に大きくのしかかっていると言ってもいい。実際、昨今の状況を見わたせば、少なからぬ作家が出自や人種、ジェンダーといった「政治的な事柄」を制作の直接的なモティーフ＝モチベーションにしているし、主体的にある場所の歴史やある社会に特有の問題にコミットすることで、その作品に政治的・社会的な刻印があることが、評価の対象となる。言い換えれば、作品の形式（フォルム）とは別の次元で、「振る舞い」や「行動」、あるいはモティーフそれ自体が評価・関心の対象となるのである（いうまでもなく、アートに対するこうした社会貢献への期待は、「大地の芸術祭 越後妻有アート トリエンナーレ」あたりを皮切りとして、ここ20年来、アートが地域振興の手段として活用され、レジデンスが普及したこととも関係しているだろう）。良い／悪いは言えないが、「善い」は積極的に評価できる。良いが善いに置き換わる。「物語」や主題がその際、重要な役割を果たす。

———

さて、こうした事態は、ポスト・モダン以降、加速度的に進展した新自由主義社会において、「正しさ」という規範が、資本主義の消費の欲望と根底で深く結びつきながら、生政治のなかに巧妙に取り込まれるようになったことと不可分に生じたことだろう（昨今のSDGs流行りがその典型例といえる）。アラン・バディウがいみじくも指摘したように、「倫理への回帰」は昨今如実になった傾向であり、「哲学の一分野として倫理は人間という実践的存在を〈善〉を代位するものへと秩序づける」[*1]。そして「倫理とは、個的であれ集団的であれ、いずれにせよ〈主体〉のさまざまな実践にとっての判断原理である」[*2] が、その曖昧なやり方によって、「あらゆる職業がその「倫理」についてみずからを査問に架け、そのあげくに「人権の倫理」という名称の許で、軍事的派遣さえ企てられることになる」[*3] のである。倫理、善とは、エクスキューズとして容易に利用可能な方便となる。

　だから留意が必要となる。というのも、昨今の様々な事例に目を向けたなら、「正しく判断する私」のイメージは、通常マイノリティに属すとされ、あるいは属すと自己規定する人々、またそれ以上に、その理解者・共感者を自認する人々にとって、同じく重大な意味をもつようになっているからである。ジェンダーやレイシズム等、マイノリティによる権力への抵抗が大きくなるにしたがって、さまざまに可視化されるようになった「平等」の概念が、私たちに「倫理」を規範にとり入れるよう促しているのは言うまでもない。もちろん出自や生来の性質に対する不当な扱いについては、これを是正すべきだという意見に反対するものではないし、その通りだと深く思う。しかし先にバディウが指摘したように、倫理は都合よくエクスキューズに利用されるし、なにより「正しさ」を旗に掲げることは、私を含む人々をある属性のもとに規定し、連帯・同化することを強いることで、無限後退する選定と限定の対立構造を生みかねない。そこには一見異なるようで同様の、平等を排除する力が働く可能性もある。「「他者」が我慢できるのは、それが善き他者である場合、言い換えれば、私たちとまったく同じではないにせよ、だが善き他者ではある場合、そうした場合に限られるのではないのか？差異の尊重、大いに結構だ！

だが次の但し書きの許で ── その差異とは、議会制民主主義を前提とした差異、市場経済に賛成する者での仲間内の差異、見解の自由を支持する者のうちでの差異、フェミニストにおいての、エコロジストにおいての差異……」[*4]である。

──

この明らかな兆候は、作品それ自体においてもさることながら、芸術を語る、その語りにも大きく影響を及ぼしているだろう。例えば近年「ブラック・アート」へと急速に寄せられる関心と評価をどう説明することができるだろうか（『美術手帖』における、2023年4月号の「ブラック・アート」の特集がその一例だろう。ここにはさらに、非西洋圏にある私たちが同じようにブラック・アートを語る、そのこと自体の政治性をどう捉えるのかという問題が発生する）。それを黒人作家による長い闘争後の果実とみることも、一面においてはその通りであるし、実際、私の想像をはるかに超えた苦難があったことも事実である。しかし、一方でそこにもまた、倫理と資本の力学が働いている。アフリカ系作家の動向と系譜を体系化し、「ブラック・アート」の名のもとに芸術に登録すること。それは一つのファッションとなり、また同じ手法で別の動向がある名のもとに回収されることになるだろう。そこには選択・排除が否応なく伴う。あるいは、いまや高齢になった女性作家たちをメガギャラリーが抑圧的言説からの解放であるかのごとく次々と取り上げ、美術館が展覧会を開催するようになったことをどうみたらよいだろうか（森美術館で開催された「アナザーエナジー展」はその端的な例だろう。各国の年配の女性作家たちの活動を「アナザー」と規定することで、一つのカテゴリーとして取り上げ、これまでの制作と環境についての作家インタヴューと作品とをパッケージにして順に紹介する。その手法は「人と作品」という、現代美術が通常用いる展示方法とは大きく異なる、近代的とも言えるものであり、彼女たちの作品は、同時代の大文字の美術史の語りを比較対象として、柔らかで軽やかな別の抽象などといった具合に記述される）。それらは、「人種」や「ジェンダー」という、ある「一つのカテゴリー」のなかに作品をパッケージ化し、安全無害なものとして流通させる行為にもなりかねない。そこに「良い」を差し置いた「善き、正しさ」の力学と、さらにその先に、「正しさ」を巧妙に売り買いする消費のモードが見え隠れするといったら言い過ぎだろうか。

　今夏グッゲンハイム・ビルバオで見る機会のあったリネット・イアドム゠ボアキエの個展は、私にとっては芸術における倫理への応答について考えさせられる出来事だった。会場入り口の挨拶文は、彼女をイギリス出身で、幸福、仲間、孤独といった日常的な瞬間にある「時代を超越した主題」を描く作家として紹介し、画面に登場する人物は、服装や身なり、ポーズやシチュエーションにおいて、「特定の場所や時代との関わりから切り離されている」と述べる。しかし、会場に入って否応なく気付かされ、当惑するのは、それが全て黒人のポートレイトということなのではないだろうか。ボアキエは、ガーナにルーツのある移民2世である。こうした一義的な括りこそが、本論において、抵抗すべき政治性であることは肝に銘じておくとして、しかし、ブラック・アートの文脈と、それに収まらぬ「絵画性」の二極の間で評価されてきたこの作家の作品は、特別な政治的事件や歴史については言及しないものの、黒人の表象をめぐる積年の言説を考えるならば、描かれた人物たちを単なるモティーフと呼ぶほどには、私たちは無垢ではいられないだろう。ゆえに美術館が彼女の作品の最大の特徴を特徴として記述することなく、無言で私たちに差し出す態度のうちに、括弧付きの倫理的振る舞い、この倫理へのエクスキューズを否応なく看取することになったのである。いっそ私たちも、ニュートラルな態度を決め込まなければならないのだろうか。美術館はそれを、見る側の倫理に委ねるというのだろうか。

──

いまや極めて巧妙に生政治に取り込まれている単一的な正しさ、平等性という思考に対して、私たちは別のもの＝オルタナティヴとして存在することができるだろうか。というのも本来、私はさまざまな属性を有しており、一義的に関係を決定することはできないはずのものだからである。私を、また他者を「何か」の規定をこえた「誰か」として捉え直す。その「かけがえのなさ」、自己と他者の「共約不可能性」[5]を前に、私を「何か」の属性へと還元省略すること自体を一旦留保することはできないだろうか。そもそも私は私でさえ認識不可能な複数の私によって構成されている。そのことに自覚的になったとき、私の一義性は根本的に揺らぐはずである。

この点に関して、ダムタイプのパフォーマンス『S/N』(1994)についての竹田恵子による検証は一つの示唆を与えてくれる[6]。リーダーである古橋悌二がエイズを発症した後に制作された『S/N』では、アイデンティティを巡るユーモアを含んだ切実なやりとりから舞台がスタートする。壇上の三人のパフォーマーは、ゲイであり聾唖であり、同性愛者であることを、カミングアウトする。しかしそのカミングアウトは、かならずしも、そのラベルどおりに自己をパッケージして訴えるものではない。服に貼られたアイデンティティのラベルは取り外し、取り替え可能で、しかも、そのカミングアウトには常にノイズが含まれており、属性を自ら一義的に回収してしまうことを避けている。この点について、竹田は、ジュディス・バトラーを引きながら指摘する。「カミング・アウトの危険性とは、アイデンティティをいくつかのカテゴリーに固定化、本質化するがゆえに、当該アイデンティティにおさまらないような豊かな自己の生を縮減してしまうことである。重層的なアイデンティティのなかで生きる「わたし」は、そのうちのわずかなひとつ／いくつかのアイデンティティに「わたし」を代理＝表象させてしまうことができない」[7]。むしろ、「「名づけ」によって自分たちの存在や自分たちが行為するものの意味を表現し尽くせると主張することこそ、「言語の内部でわたしたちがすでにそうなっているものとは別の者になる未来」を「予め排除する(foreclose)ことになる」[8]のである。

もちろん1994年に発表されたこの『S/N』は、近年蔓延する倫理への回帰に先立つ出来事である。しかし、見方を変えれば、むしろ彼らの活動は、いま現在における、倫理をめぐる芸術家たちの様々な具体的実践の端緒に位置するものであり、だからこそ私たちが立ち戻る場所としてそれを召喚することも可能なはずなのである。

———

名付け得ぬのもとして、カテゴリー化、ルール化された社会に抵抗／あるいはそこから逸脱する方法が探られる。この点で、本展の大木の制作と生活は、括弧付きの属性や組織、地縁に登録されることへの独自の闘争／逃走の典型といえるものだろう。啓示のように高知に「呼ばれた」大木は、およそ30年という長い年月にわたり継続して同地を拠点の「一つ」として制作し生活してきた。ここで肝心なのは、高知にどっぷり根を張るのではなく、東京にも、岡山にも拠点をもち、それだけでなく声をかけられれば別の場所にも移動して制作・発表し仮暮らしをするという、時間も場所も、生活も制作も発表も、全てが地続きの状態にあるということだろう。そのなかで大木は、特定の何かに同化することなく、むしろそうした離れた場所や事物とを結ぶメディウムとして存在するのである。彼の口癖が「適宜」であるのも、その時々の状況に合わせて適切に変更選択する可塑性を示していて象徴的である。その大木との話で印象的だったのが、毎年チームM・I名義で参加しているよさこい祭りのエピソードで、現状ルールでは禁止事項に上がっていないことを大木が行うと、それを制御するために、翌年に禁止のルールが追加されていくという、いたちごっこのようなやり取りがあるというのである。

Have something that defines my judgment

こうして浮かび上がるのは、現状の倫理感に基づいて暗黙のルールを遵守する世間の人々の心性と、それに支えられて「正しさ」が事後的、作為的に形成されるという構図である。この非常に曖昧な正しさの定義、禁忌の構造に対して、稀人のようにパフォーマンスを通じて軽やかに抵抗する大木のうちには、硬直した世界を揺るがす仕組みを見出すこともできるのではないか。

———

ここまでの論で、対象を一義的に規定し、良いを善いに置き換えることで一つの倫理の型に(悪く言えば)回収しようという近年ますます強まるその傾向について考えを巡らせてきた。こうした倫理的傾向においては、芸術は政治のための、闘争のための手段と位置づけられているし(菊池裕子による「ブラック・アート」の紹介テキストの最後を締め括るのは、「しかし、闘争はまだ続く」の語である*9)、一方でその根底において、新自由主義的な消費の論理と切り離せない関係にも置かれる。しかし、ここで冒頭の問題に再び立ち返るならば、考えなければならないのは、芸術が政治を扱うという、二者を分離して捉える、その構造設定そのものにあるのではないか。ジャック・ランシエールがいうように、そもそも美学が感性の学であり、私たちの日常の身体行為を司り、その感性を支配する限りにおいて、必然的に政治性を有しているのだとしたら、芸術と政治を異なる二つの領域として扱うこと自体を乗り越える必要があるだろう*10。芸術には本来的に政治が含まれている。そうであるならば、方法論や形式(フォルム)、それ自体を新たに問い直すのが一つの手立てとなるだろう。内容主義から離れ、「形式」の概念自体をも更新すること(繰り返しになるが、政治と芸術を分けて考えるかぎり、芸術において政治的であるには、モチベーションを外部に求めざるを得ない。言い換えれば、重要なのは作品のなかで何を語るか、何が語られているかであり、その評価の根拠も、どれだけ効果的に政治問題、社会問題を表しているかに収斂することになる)。そして、もう一つの可能性として、倫理を謳うにあたり、その規定自体をいかに更新するかという問いがある。リオタールが述べるように、「政治とは、ある文に対する別の文の連鎖(enchaînement)をどうするかという決定」であり、「無数の連鎖の可能性、その連鎖のひとつひとつが政治なの」*11だとすれば、潜在的可能性としての複数の倫理をいかに持ち得るかが鍵となる。

———

そこであえてドキュメンタリー映画に関わってきた小川紳介の事例を取り上げてみたい。自主製作にこだわり、三里塚の闘争をドキュメンタリー映画に残したことで知られる小川紳介は、「土にこだわる農民の真の姿を撮るためには、自ら土にこだわらざるをえない……」として、スタッフと共に山形県上山市牧野に移住し、田を育て蚕から糸を紡ぎ、映像製作を行った。13年もの歳月をかけて完成した『1000年刻みの日時計 牧野村物語』(1987年公開)は、200人以上の村人に有名俳優も加えて、村の長大な歴史を芝居に仕立て、その合間に村の人々の日常の暮らしと彼らの稲作活動や遺跡の発掘作業などの記録を織り交ぜた、フィクションともドキュメンタリーとも区別のできない作品である。牧野村の様々な過去と今現在の時間、村人共通の時間と個人の時間が一つの筋を追うことなく共存し、村人も複数の役柄としてまた本人として登場する。そうすることで、牧野村は単なるモティーフを超えた生そのものの表象となり、映画は、記録を超えた時空間から成る、いわば丸ごとの創造物ともなる。それは、生活も生の喜びも、ユーモアも感性もが混在する、政治と不可分の強度の表象というべきものであり、小川が採用した形式こそが、ドキュメンタリーの概念を超え出た、ジャンルの成立を可能にしている。

　あるいは本展において、加藤や髙柳が芸術の形式を丁寧に執行しながら、おそらく消費される運

命にある「善きこと」とは違う原理に基づく「善きこと」「良きこと」の規範に身を挺しているのにも、倫理の複数性の可能性を認めることができよう。それが翻って作品の強度となり、社会に対するカウンターとしてのささやかで強固な政治性を内部に携えることになる。何かわからないものへの遭遇こそが、私たちの社会も価値観をも変えていくのだとすれば、すでにメディアで言説化された社会問題をなぞり、翻訳すること以上の政治性がそこにある。それこそが深く政治的であるともいえる。

——

どこに向けた闘争であるかを、誰を話し相手として制作するのかを、誰の作品を感受しているのかを、いまいちど考えてみる必要があるだろう。その作品が排他的なものになるのか、豊かな語り手になるのかは、誰を相手とするか、あるいは誰ということもなく投機するのか／されるのかに、大きく左右される。そこではわかりやすい共感ではなく、理解できない違和感や居心地の悪さが、ときに積極的に評価すべき可能性の種となる。

　私が良いと判断するものが、普遍的に良いと言い得るのは、それが「他者」の評価に賭けられていることを意味している。私の判断が「あり得ないことではない」ことを成立させる根拠として「他者」を召喚すること。そこで想定される他者とは、レヴィナスを、またレヴィナスに言及するバディウや柄谷行人[12]を頼りにするならば、連帯を可能にする、同じ言語を持つ隣人なる他者ではない。同一視可能な他者は、自己のうちに内面化されてしまうものであり、その構造においては、私の語りかけは、自己への語りかけであるにすぎない。「模倣的な承認（ミメチーク）（「似ているもの」として、自己に同一的な〈他者〉）」[13]を超えて、全き他者をいかに想定できるか。その全き他者との困難な対話の経験が、良いものの探究へと通じ、その経験のうちに新たな造形の言葉を開く可能性が秘められている。

　あえて最後にスネークマンショーのやりとりに立ち返れば、平行線を辿る二人の会話は、経験から抽出された一般論に過ぎないかもしれない。それは自己完結的で、全き他者との対話を想定していないがゆえに、いまここでは普遍的に良いものに達することがないのかもしれない。しかし過去の、あるいは未来の他者を召喚する可能性に賭け、現世的な一つの倫理を超えることができれば、新たな形式の「良い」を獲得することもができるかもしれない。そうした超時間的な他者を設定することがいま問われているのではないか。

*1　アラン・バディウ『倫理──〈悪〉の意識についての試論』長原豊、松本潤一郎訳、河出書房新社、2004年、p.7

*2　同前、p.8

*3　同前、pp.9-10

*4　同前、p.45

*5 ハンナ・アレント『人間の条件』志水速雄訳、ちくま学芸文庫、1994年。また政治と美学の関係について、ハンナ・アーレント、ロナルド・ベイナー編『完訳 カント政治哲学講義録』仲正昌樹、浜野喬士訳、明月堂書店、2009年から多くの示唆を得た。

*6 竹田恵子「ソーシャリー・エンゲイジド・アートとしての九〇年代京都における社会 / 芸術運動と『S/N』」北田暁大・神野真吾・竹田恵子（社会の芸術フォーラム運営委員会）編『社会の芸術 / 芸術という社会 —— 社会とアートの関係、その再創造に向けて』フィルムアート社、2016年、pp. 320-336

*7 同前、p. 329

*8 同前、p. 330

*9 菊池裕子「国際的に評価が高まる「ブラックアート」とは何か【前編】イギリスにおける歴史から注目作家までを解説」『Tokyo Art Beat』、2023年2月16日、https://www.tokyoartbeat.com/articles/-/black-art-01-202302
菊池裕子「ブラック・女性・工芸 / 手芸。何重にも周縁化された交差性の美術史をたどる: 国際的に評価が高まる「ブラックアート」とは何か【後編】」『Tokyo Art Beat』、2023年5月3日、https://www.tokyoartbeat.com/articles/-/black-art-02-202305

*10 Jacques Rancière, *Malaise dans l'esthétique*, Paris: Éditions Galilée, 2004 [ジャック・ランシエール『美学における居心地の悪さ』]. 引用は星野太『美学のプラクティス』（水声社、2021年）より。

*11 ジャン＝フランソワ・リオタール、小林康夫「リオタールとの対話」『風の薔薇 文学 / 芸術 / 言語 4 特集: ジャン＝フランソワ・リオタール』書肆風の薔薇、1986年、p. 22

*12 柄谷行人『ニュー・アソシエーショニスト宣言』（作品社、2021年）および、柄谷行人『力と交換様式』（岩波書店、2022年）を参照。

*13 バディウ、前掲書、p. 38

For Others to Come

—

Machiko Chiba

"Some things are good, but some things are bad." This simple phrase, which I came across for the first time in a while just as I was about to start writing this essay, is a famous phrase that the Snakeman Show, a unit consisting of Moichi Kuwabara, Katsuya Kobayashi, and Masato Ibu that was active from 1975 to 1983, had repeated as a punch line in their comedy sketch "Wakai Yamabiko" (lit. Young Echo, a parody of the radio program "Wakai Kodama") recorded with YMO as a guest. "What I learned from owning 50,000 records (Kobayashi) / What I learned from listening to rock music 8 hours a day (Ibu) is that, in the end, 'some things are good, but some things are bad.'" It is ridiculously amusing the way in which the two compete with one another to claim the same conclusion as their own while each citing their experience and depth of knowledge, without any evidence as to why it is good or why it is bad, or what is good or bad about it.

Although I started on a somewhat light note, this seemingly optimistic and simple exchange indeed seems to harbor a certain truth. This "truth" is a fundamental problem or difficulty that aesthetics has long been concerned with. Additionally, it is important to note that contemporary issues surrounding "judgment" come to emerge in the attitudes that people living in the 2020s take in response to such talk. Allow me to further elaborate.

—

First of all, do "good things" and "bad things" exist as they are without explanation, as something that can only be so, even if it is difficult to provide a clear definition? As Kobayashi and Ibu claim, is it possible to determine what is "good" and what is "bad" based on the sheer amount of experience that one has? On the contrary, does the judgment of good / bad come from intuition that lies outside the realm of experience?

Perhaps it could be put another way. That is, does one's determination of good / bad come from personal judgments of taste in terms of what "I consider" good and what "I consider" bad, and is it thus something that cannot be shared? Rather, it is a question of whether something is good or bad without explanation because it is a transcendental apperception that extends beyond the "I."

However, in this day and age, one might be wary of simply stating what is "good" or "bad" in response to this problem setting that could be described as truly "aesthetic." This is because behind the statement "Some things are good, but some things are bad," lies a relativism that claims "anything can exist in this way," and while this in itself seems to be a tolerant and idealistic attitude, if you look at it from a different perspective, it can be seen as an irresponsible way of dealing with "bad things." This kind of "frivolousness" is considered to be typical of the post-modern thinking that swept through society from the late 1970s to 1980s following the struggles and setbacks of the 1960s (Speaking of "frivolousness," one may recall the "Showa Keihakutai" ("Showa Frivolous Style"), an informal, colloquial form of writing that was popularized at the time by the likes of writers such as Makoto Shiina. At the same time, it can also be said that it harbored the potential to subvert literature (=authority) by escaping from conflict). However, we who live in the 2020s must take responsibility to speak up correctly, without escaping or running away.

There is evidence of a certain paradigm shift here. That is, value judgments of good/bad can indeed be discriminatory. In art, we must think more seriously about the concept of good/bad. What serves as an impetus for this essay is the vague sense of discomfort with this recent overturning. Is such a reconfiguration appropriate? I would like to consider the very structure of "bringing" ethics and politics into art through taking these preceding ideas and specific examples as a guide.

So, let us start with the second question and work our way back to the first.

———

I may be repeating myself, but I believe that one of the biggest obstacles in art today is the growing concern and demand for "correctness" or the "concern for correctness." It can be said that this unseeable (yet obvious) pressure weighs heavily on our choices and judgments, especially in the field of contemporary art. In fact, if one looks at the current situation, one can see that many artists use "political matters" such as origin, race, and gender as direct motifs or motivations for their work, and by proactively committing themselves to the history of a place or issues specific to a society, the political and social imprint of their work becomes an object of evaluation. In other words, the "behavior," "action," or motif itself becomes the object of evaluation and interest on a level other than the form of the work (Needless to say, the expectation for art to contribute to society is also related to the trend toward the use of art as a means of regional development and the increase of residency programs over the past twenty years, beginning with the likes of art festivals such as Echigo-Tsumari Art Triennale). Although is it difficult to define good/bad, it is possible to positively evaluate that which is "virtuous." In this context, the former is replaced with the latter. The "narrative" or subject matter plays an important role in this.

———

Now, this situation is inseparable from the fact that the norm of "correctness" has been cleverly incorporated into biopolitics while bearing deep connections to the capitalist desire for consumption in the context of neoliberal society that has accelerated since the post-modern era (the recent trend surrounding Sustainable Development Goals is a typical example of this). As Alain Badiou had aptly pointed out, the "return to ethics" is a trend that has recently become a reality, and "ethics is a part of philosophy, that part which organizes practical existence around representation of the Good."[1] "Ethics is the principle that judges the practice of a Subject, be it individual or collective,"[2] however, this ambiguous approach has led "every profession to question itself about its 'ethics.' We even deploy military expeditions in the name of 'the ethics of human rights.'"[3] Ethics and goodness become expedients that can easily be used as an excuse.

Therefore, it is necessary to be cautious. If we look at various cases of late, the image of "I, as an exerciser of correct judgment," has become equally significant for those who are usually considered or self-defined as belonging to minorities, and even more so for those who self-identify as their understanders and empathizers. Needless to say, as the resistance to power by minorities continues to grow—such as in the contexts of gender and racism—, the concept of "equality," which has been visualized in various ways, prompts us to adopt "ethics" as a norm. Of course, I am not opposed to the opinion that unfair treatment of people's origins and innate characteristics should be corrected. In fact, I deeply agree with this. However, as Badiou pointed out earlier, ethics is conveniently used as an excuse. Above all, raising the issue of "correctness" means to prescribe oneself under certain attributes and forces one to unite and assimilate, thereby creating an antagonistic structure of selection and limitation that is infinitely regressive. There is also the possibility that there are seemingly different yet similar forces at work here that eliminate equality. As Baidou states, "this celebrated 'other' is acceptable only if he is a *good* other—which is to say what, exactly, if not *the same as us*? Respect for differences, of course! But on condition that the different be parliamentary-democratic, pro free-market economics, in favor of freedom of opinion, feminism, the environment…" *4

———

This apparent indication not only affects the works themselves, but also the way we talk about art. For example, how can we explain the rapidly increasing interest and appreciation for "black art" in recent years? (The feature on "Black Art" in the April 2023 issue of *Bijutsu Techo* magazine is a clear example of this. This also raises the question of how we in the non-Western world should view the politics of talking about black art in the same way). It is true on one level to regard "Black Art" as the fruits of the long and on-going struggle of black artists, and such is likely carved with a seal of hardship that is far beyond my imagination. Yet on the other hand, there are also dynamics of ethics and capital at work here. That is, to systematize the trends and genealogy of African artists and register them in the arts under the name of "Black Art." It becomes like fashion in some respect, whereby another trend will likely be recovered under a certain name using the same technique. This is something that inevitably involves a process of selection and exclusion. Or what should we make of the fact that mega-galleries and museums have begun to hold exhibitions of aging female artists as if in an act to liberate them from an oppressive discourse? (The "Another Energy" exhibition held at the Mori Art Museum is a perfect example of this. The exhibition treats elderly female artists from various countries as one category by defining their activities as "another," and presents each of them in a way in which their works are packaged together with artist interviews regarding their practice and environment to date. This display of "the person and their work" could be regarded as a modern method that significantly differs from measures usually employed in contemporary art. In this context, their work is described as a softer, lighter, different type of abstraction compared to the art historical canon of the time). Such approach can indeed lead to the act of packaging works into certain categories such as "race" or "gender," and distributing them as safe and harmless. Would it be an overstatement to say that here it is possible to discern a "virtuousness and correctness" that puts "good" aside and, beyond that, a mode

Have something that defines my judgment

of consumption that cleverly engages in the trade of "correctness?"

The solo exhibition of Lynette Yiadom-Boakye, which I had the opportunity to see at Guggenheim Museum Bilbao this summer, was an event that made me think about the response to ethics in art. The introduction at the entrance to the exhibition had described her as a British-born artist celebrated for her paintings of "timeless subjects" in everyday moments of happiness, comradery, and solitude, and that details such as clothing, attire, pose, or situation serve to "dislocate the figures from any particular time or place." However, what I was forced to notice and found perplexing upon entering the exhibition was that all these paintings were portraits of black people. Boakye is a second-generation immigrant with roots in Ghana. As mentioned thus far in this essay, it is important to keep in mind that this kind of unequivocable categorization is the kind of politics that must be resisted. However, this artist has been evaluated between the two polarities of the context of Black Art and a "painterliness" that does not fit within that framework, and while her works do no refer to any particular political events or history, we cannot be so naive as to refer to the depicted figures as mere motifs if we consider the long-standing discourse surrounding the representation of black identity. Therefore, in the museum's attitude of silently presenting us with her work without any mention of its most significant characteristics, one cannot help but detect a bracketed ethical behavior of sorts, that is, an excuse to such ethics. Should we also adopt a neutral attitude? Are museums leaving it up to the ethics of the viewer?

———

Can we exist as something other to, that is, an alternative to the monolithic idea of correctness and equality that is now so ingeniously incorporated into biopolitics? This is because, by nature, we have various attributes, and thus it should not be possible to determine their relationship unequivocally. One must reconsider oneself and others as "someone" who transcends the stipulations of "something." In the face of this "uniqueness" and "incommensurability" [5] of self and other, is it possible to temporarily refrain from resolving and reducing oneself to the attributes of "something?" In the first place, one is made up of multiple selves that even oneself cannot recognize. When one becomes aware of this, one will no doubt find their uniqueness to be fundamentally shaken.

In this regard, Keiko Takeda's study of Dumb Type's performance S/N (1994) provides us with a certain clue. [6] S/N, produced after the collective's leader Teiji Furuhashi was diagnosed with AIDS, begins with a humorous and earnest exchange about identity. The three performers on stage come out as gay, deaf-mute, and homosexual. However, this act of coming out does not necessarily entail packaging and appealing oneself according to that label. The identity labels affixed to their clothing are removable and replaceable, and moreover, their coming out always contains some form of "noise," thereby avoiding themselves from the unequivocal retrieval of these attributes. Takeda further elaborated on this point by drawing reference to the words of Judith Butler. "The danger of coming out is that, because it fixes and essentializes identities into several categories, it reduces the richness of one's own life that cannot be contained within these identities. Living in a multilayered identity, 'I' cannot let just one or a few of these identities represent 'me' on my behalf." [*7] Rather, "to insist that we can exhaust the meaning of what we are and what we do through 'naming' is to 'foreclose the possibility of becoming more and different than what we have already become, in short, foreclose the future of our life within language.'" [*8]

Of course, *S/N*, first presented in 1994, was a precursor to this return to ethics that has shown prominence in recent years. From a different perspective, however, their activities are the beginning of various concrete practices by artists concerning ethics as of current, which is why we should be able to summon them as a place to which we can return.

———

In terms of that which is unnamable, one might look to ways of resisting or deviating from a society that is categorized and defined by rules. In this respect, Oki's life and practice as it is presented in this exhibition, can be said to be representative of this individual struggle/flight against being registered with bracketed attributes, organizations, and regional connections. Oki, who was epiphanically "summoned" to the Kochi prefecture, has continued to live and work in the region over the past thirty years as "one" of the bases for his artistic practice. What is important here is that the artist does not take root in Kochi, but also has bases in Tokyo and Okayama, and when called upon, moves to other places to produce and present works, and reside temporarily. As such, time, place, lifestyle, production, and presentation are all connected to each other. In this context, Oki does not assimilate into something specific, but exists as a medium that serves to connect these distant places and things. His habit of using the phrase "as appropriate" is also symbolic, as it reflects his flexibility in making appropriate changes and choices according to the situation at hand. One that struck me during my conversations with Oki was an episode regarding the Yosakoi Festival, which he participates in every year under the name of Team M·I. He mentioned that it was a cat-and-mouse game in which if Oki does something that is not prohibited under the current rules, a prohibition rule will be further introduced the following year to prevent it. What this brings to light is the mindset of people who adhere to unspoken rules based on their current morals and ethics, as well as the composition in which "correctness" is formed a posteriori and artificially, supported by this mentality. In Oki's effortless resistance to this extremely ambiguous definition of correctness and the structure of taboo, which he achieves like a Marebito through means of performance, we may indeed be able to find a mechanism to shake up this rigid world.

———

In this essay thus far, I have considered the increasing tendency in recent years to unequivocally define the subject and to reconstitute (to put it in a negative way) a single mode of ethics by replacing goodness with virtue. In this ethical tendency, art is positioned as a means for politics and for struggle (Yuko Kikuchi's introductory text on "Black Art" concludes with the words, "But the struggle continues." [*9]). At its core, it is also inextricably linked to the logic of neoliberal consumption. However, if we return to the issue raised at the beginning of this essay, what we need to consider is the very structure of art itself that deals with politics and perceives the two as separate entities. If, as Jacques Rancière claims, aesthetics is a science of the senses, and is necessarily political insofar as it governs and our everyday

Have something that defines my judgment

physical actions and controls our sensibilities, then we need to get over the point of treating art and politics as two different realms.*10 Art is that which inherently contains politics. If that is the case, then wouldn't one possibility be to reconsider methodology and form itself? It is indeed necessary to move away from content-based thinking and to update the very concept of "form" (again, so long as we separate politics and art, in order to be political in art, we have no choice but to seek motivation from outside. In other words, what is important is what to communicate and what is being said in the work, and the basis for its evaluation also converges on how effectively it addresses political and social issues). The other is to consider how to update the rules themselves in the pursuit of ethics. If, as Jean-François Lyotard states, "politics is the decision of how to chain one sentence to another," and if "there are countless possible chains, and each one is political," *11 then the key is to contemplate means by which can have multiple ethics as a potential possibility.

———

In relation to this, I would like to take up the case of Shinsuke Ogawa, who has been involved in the production of documentary films. Shinsuke Ogawa is a film director who insisted on independent production and is known for his documentary film on the Sanrizuka Struggle. Under the belief that, "to capture the true image of farmers who are committed to the earth, one must also commit oneself to the earth…," Ogawa eventually moved together with his crew to Magino, Kaminoyama City, Yamagata Prefecture, where they engaged in agriculture and sericulture. *Magino Village: A Tale* (released in 1987), which took 13 years to complete, is an indistinguishable work of fiction and documentary. Featuring over 200 villagers and famous actors, the village's long history was turned into a play, interspersed with documentary footage of the villagers' daily lives, their rice cultivation activities, and their excavation of archaeological sites. The various times of past and present in Magino Village and the shared/individual times of the villagers coexist without adhering to a single plot line, with the villagers also appearing in multiple roles or as themselves. In this way, Magino Village becomes more than just a motif—it also becomes a representation of life itself, and the film, so to speak, manifests as a cohesive production comprised of time and space that goes beyond documentation. It is a representation of an intensity that is inseparable from politics, where livelihood, the joys of life, humor, and sensitivity are all mixed. This format that Ogawa adopted is what makes it possible to create a genre that transcends the concept of documentary.

Alternatively, we may recognize the potential that this plurality of ethics harbors in the way Kato and Takayanagi, while carefully engaging in the formalities of art in this exhibition, have committed themselves to a code of "virtue" and "goodness" based on principles that are different from the "goodness" that is perhaps destined for consumption. This, in turn, becomes the strength of the work, which carries within it a small but strong political nature as a countermeasure against society. If it is the encounter with something unknown that changes both our society and our values, then there is more to politics than tracing and translating social issues already discoursed in the media. This indeed is what could be deemed as deeply political.

———

When producing a work of art, it is necessary to consider once again where and to whom the struggle and narrative are directed, as well as whose work is being perceived. Whether the work becomes exclusive or richly narrative will largely depend on who it will be addressed to, or who it will be speculating / being speculated by. In this case, rather than an easy-to-understand empathy, an incomprehensible sense of discomfort and uncomfortableness at times become the seeds of possibility that should be actively evaluated.

The fact that what I judge to be good can also be regarded as being universally good, means that it depends on the evaluation of "Others." "Others" must be summoned as the basis for establishing that my judgment is "not improbable." The Others assumed here — if we are to rely on the words of Emmanuel Levinas, or Badiou and Kojin Karatani [12] who refer to Levinas — is not the neighborly Other with the same language that makes solidarity possible. Others with whom one can identify is something that is internalized within oneself, and in that structure, what one addresses is merely a statement to oneself. How can we assume complete Others beyond "mimetic recognition (the Other as 'similar,' *identical* to me)"? [13] The experience of difficult dialogues with complete Others leads to the search for good things, and within that experience lies the possibility of opening a new language for creation.

In conclusion, if I may return to the exchange between the members of the Snakeman Show, their conversation that continues without progress may be nothing more than generalizations extracted from experience. Because it is self-contained and does not assume a dialogue with complete Others, it may never reach something universally good here and now. However, if we can bet on the possibility of summoning Others from the past or the future and go beyond a single worldly ethic, we may be able to acquire a new form of good. What is perhaps being questioned now is the establishment of such a transtemporal Others.

[1] Alain Badiou, *Ethics: An Essay on the Understanding of Evil*, trans. Peter Hallward, London; New York: Verso, 2001, p. 1.

[2] *ibid.*, p. 2.

[3] *ibid.*, p. 2.

[4] *ibid.*, p. 24.

[5] Hannah Arendt, *The Human Condition*, Chicago: University of Chicago Press, c.1958. With regards to the relationship

Have something that defines my judgment

between politics and aesthetics, much insight was obtained from Hannah Arendt, ed. Ronald Beiner, *Lectures on Kant's Political Philosophy*, Chicago: University of Chicago Press, 1982.

*6 For details, see ed. Akihiro Kitada, Shingo Jinno, and Keiko Takeda, *Arts of / as the Society: Recreation of the Relationship Between Society and Art*, Tokyo: Film Art, 2016, pp. 320-336.

*7 *ibid.*, p. 329.

*8 *ibid.*, p. 330.

*9 Yuko Kikuchi "What is 'Black Art,' which is gaining international recognition? [Part 1]: From an overview of its history in the U.K. to notable artists," *Tokyo Art Beat*, February 16, 2023, https://www.tokyoartbeat.com/articles/-/black-art-01-202302

   Yuko Kikuchi "What is 'Black Art,' which is gaining international recognition? [Part 2]: Black, women, and crafts/handicrafts. Tracing the intersectional art history with multiple layers of marginalization," *Tokyo Art Beat*, May 3, 2023, https://www.tokyoartbeat.com/articles/-/black-art-02-202305

*10 Jacques Rancière, *Malaise dans l'esthétique*, Paris: Éditions Galilée, 2004.

*11 Jean-François Lyotard and Yasuo Kobayashi, "Dialogue with Lyotard," *Rose des vents Literature / Art / Language 4 Special Feature: Jean-François Lyotard*, Tokyo: Rose des vents, 1986, p. 22.

*12 See Kojin Karatani, *New Associationist Manifesto* (Tokyo: Sakuhinsha, 2021) and Kojin Karatani, *Power and Exchange Style* (Tokyo: Iwanami Shoten, 2022).

*13 Badiou, *op. cit.*, p. 19.

Have
something
that
defines
my
judgment

作家 / の判断

髙柳さんの作品は、態度なのだと思う。
そうしてみること。そうはしないこと。こうであってそうで
ないのを問い続けてみること。

> ここにおいては何ごとも、知っていることのようにやっ
> てはいけない、と思っている。
>
> (個展ステートメント、Gallery Jin Projects、2010年)

今回の企画の始まりにあったのは、正しい判断があると
したら、それはどのようにあり得るのか、ということであっ
た。本来、無数にあるはずの正しさに対して、私たちは
どのように距離をとり、しかし、そのなかで、何かしらの
判断をするとすれば、その根拠をどこに求めることがで
きるだろうか。

アガンベンが『中味のない人間』のなかで最初に投げか
けた問いは、作品の評価（美的判断）が作家の経験から奪
われ、鑑賞者の立場からのみ検討されてきたことだった。
そこで改めて、作家による選択や判断という視点を導入
してみる。とはいえ、作家による判断が、私たちに何ら
かの指標を提示してくれるとしたら、それはもはや作家
の判断という領分を超えているのではないだろうか？

作家自身がそこに最終的に立ち上がったものに驚く。そ
こで生じた出来事に驚く。それをしたのは作家であるに
もかかわらず。
世界を眺める尺度が一つ生まれる。

千葉真智子

The Artist / Their Judgment

I consider Eri Takayanagi's work to be an
embodiment of attitude.
To try and do something or to not do something.
To continue to question what something is and
what something is not.

> Here, I think nothing must be done as if it's
> something I know.
>
> (Artist's statement, Gallery Jin Projects, 2010*)

The starting point for this project was the question,
"If there is such a thing as correct judgment,
what is the nature of it?" How do we distance
ourselves from the seemingly infinite number
of correctness, and at the same time, if we were to
make some kind of judgment in the midst of this,
where would we be able to find the basis for
that judgment?

The very first question that Giorgio Agamben
had posed in *The Man Without Content* is that
the evaluation (aesthetic judgment) of artworks has been
deprived of the artist's experience to be examined
only from the perspective of the viewer.
As such, an attempt was made on this occasion
to introduce the perspective of the choices and
judgments made by the artist. Nevertheless,
if the artist's judgment provides us with some means
of indication, isn't it already transcending the scope
of the artist's judgment?

The artist herself was ultimately surprised by
what manifested and the events that had unfolded,
despite it all being a result of her doings.
In this way, a certain measure for viewing the world
was conceived.

*Eri Takayanagi, TALION GALLERY, 2017, p. 73

Machiko Chiba

Eri Takayanagi

Comparison,
Distinction,
Points of Similarity

高柳恵里

比較、
区別、
類似点

Have something that defines my judgment

8 《棚板》

7《仕組み》

5《奥行き》

Comparison, Distinction, Points of Similarity

6 《仕組み》

4 《実例》（部分）

3《実例》

9-11《性能》

合うのか、合わないのか、試してみる。
比べる。選ぶ。
やってみるとどうなのか、やってみる。
「試し」なので、取り返しがつく。極力リスクは回避する。

と言ったようなことなのだが、さて、何が行われている
のだろうか。
何が見えているのだろうか。
—

仕組みについて。
この状態とは、どれがどのようになっている、
ということなのか。
—

ことさらに奥行きを作る。
—

買う。使ってみる。
性能の差を感じるのだが、基準があるというわけでもな
いので、確実なことはない。
性能による結果はまざまざと見えている。
—

よく見えるし、よくわかる。
が、わかりやすいのか。

高柳恵里　2022.4

Testing to see if it works or not.
To compare, to choose.
Doing something to see what happens.
They are "tests" and thus can be undone.
Risks are to be avoided as much as possible.

Or so I describe what I do, but what indeed is
going on?
What can be seen?
—

About how things work.
Is this state an indication of which is what and how?
—

I strive as much as I can to create more depth.
—

To purchase. To try using it.
While a difference in performance is felt, nothing is
certain as there is no standard.
The results in performance are clear.
—

That which is clearly seen can be well recognized.
However, is that really so?

Eri Takayanagi, 2022.4

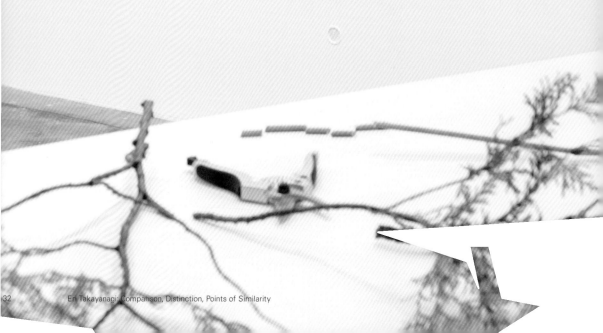

高柳恵里×千葉真智子

2022年5月14日[土]18:00−

千葉　第1回は高柳恵里さんにお願いしましたが、高柳さんの作品には、何かそこでことが起きていたり、高柳さんがそこに働きかけをしたことで何かが生じていたりすることがあると思います。一見それは個人的な振る舞いに見えるかもしれないけれど、実は個人的なものという基準ではない何かもっと大きなものが高柳さんの作品の背景にはあると感じていました。今回展覧会を企画するにあたって、最初に高柳さんに展示していただくことで、この5回の展覧会の指標になるのではないかと思い、お願いしました。

高柳　千葉さんのお話には私自身も同感・共感するところが多かったです。千葉さんの企画を伺って、展覧会をすることを考えたときに、おそらく私がいつもしてきていることと、とてもつながることでもあるだろうと思いました。今回の展覧会の枠組にきちんと収まるかどうかを意識してそこに当てはめていくというよりも、私自身が、いつものように、この状況に対して何をするか、何をしてしまうかを考えていくなかで、徐々に内容が固まっていきました。

選択という行為

千葉　展示のタイトル「比較、区別、類似点」についてお話しいただけますか。

高柳　具体的にお話しすると、DMに使用している画像は、ここにある《実例》(p.30左下／cat. no. 4)という作品で使用しているのと同じ床材見本です。それをこのギャラリーに持ってきて置いてみたら、ここの部屋の具合ではどんな感じになるのか見てみる、といったことはやろうと思っていました。

千葉　床材見本は高柳さんがもともと持っていたものだと聞きました。もともと手元にあるものから作品の構想が始まることが多いのでしょうか。

高柳　どういうきっかけでそのものとの関係が始まるかにはいろいろなパターンがあるのですが、これに関しては、以前全然違う場所で、床の張り替えをする必要があったときに取り寄せたものです。普通の共用スペースに良い具合の色味や質感のものを選ぶ、という非常にはっきりした目的のもとで取り寄せたのですが……。

千葉　いわゆる普通の選択の行為ですよね。

高柳　そう。そういうことを私たちは、本当にいつでもやっている。買い物をするときにも、展示のタイトルにあるように、比較をしていくつか選択の候補をあげて……。買うときに目の前でどちらがいいかと比べることもあるし、ネットだとさらに選択肢が多くて、くたくたになってしまう。買い物だけじゃなくて、情報を集めるにしても、「これで本当にOKかどうか、いろんな方向から見ておくべきかな」と考えたりして、本当に常に比

べている。そういう現実がありますよね。非常に何かに駆られているともいえると思います。

　私が作品で行なっているのは、日頃そういうことにそれだけの時間を割いているということ自体に、向き合ってみるようなことかもしれません。同じことをしていても、自分の態度や視線を変えると、日常でしている行為がまったく違うものになっていく。そういうふうにして、自分自身のことを揺さぶろうとしている部分があります。

　床材見本はもともと持っていたものですが、床はコンクリ打ちっぱなし、壁は白いというこのギャラリーで試しに置いてみると、どんな感じかなと。そこでどうするというわけではなく、どうなるかをただ見てみる。

　この《実例》の場合は、もともと持っていたものを使用しているのですが、違う場合もあります。2019年に発表して今回再展示している《性能》という作品(p.31右下／cat. no. 11)です。今展示しているのは当時の作品と完全に同じものではなく、また今回植物を新しく切っているのですが、この作品で使用している剪定鋏は、もともと持っていたものではなく作品のために購入したものです。

千葉　日常のなかで常に作品と同じように悩んでいるわけではないと思いますが、作品を発表する機会があったり制作のスイッチが入ったりしたときに、普段の態度を変えるというか、日常的に行なっていた行為がレベルを変えるのでしょうか。

高柳　結果的にはそういうことになるのかもしれません。そういうモードになっているのかもしれないですね。生活のなかでしょっちゅうそういうことが起きるということはないですし、普段の態度を変えることはけっこう難しい。けれどもそれをやってみることで、何かが開けるような気がするというか、そういう期待が芽生えてくる。もちろんその時点では、それが作品になるかどうかはわからない。だけれども、やるとすればそういうことだなという予感がするというか。

千葉　なんとなくの予感はありながら、実際に作品になるかどうかはわからないということですね。

高柳　ただ、やれるとするなら、一番やるべきことなのかな、と思ったりもします。それが何につながるのかはわからないけど、そうやって、自分を試してみる。

千葉　「自分を試す」とか、「自分自身が驚きたい」ということを、高柳さんはいつもおっしゃっていますよね。

高柳　それしか判断基準がないんです。

千葉　判断の基準がまさにそこにあると(笑)。

空間へのアプローチ

千葉　高柳さんのその姿勢には、個人的なものを超えたものがあるように感じてしまうんです。それは私が言語化しないといけないのかもしれないですが、たとえば他の作家でも空間にオブジェクトを配置してアプローチしていくような作品はあると思います。けれども空間への働きかけ方についていえば、何かそこにあ

るものや空間に対して、自分の視点から見て、「ここがこうだからこうします」というような、もっと個人的な感覚に回帰しているように見えたり、あるいは逆に、空間の固有性の問題に回帰しているように感じたりすることもあります。けれど髙柳さんの場合は、空間にアプローチしているようでも、空間と絶対的な密な関係性があるというのとは少し違うような感じがします。

——

髙柳　今回この場所で展示をするということで、ここに床材見本を持ってこよう、試しにカーペットを広げてみよう、泥をかけてみよう、奥行きがあるなとか。少しずつモードを変えて、こういうこともやってみるとどうなるかなというのを、見てみる。そういう意味での場所性はあると思います。

——

千葉　もっと厳密に、壁の長さや高さの関数、あるいは空間構造を念頭にアプローチをしたり、場所の歴史性を踏まえたりするような態度ではなく、そういうものとは距離を置いている。そういうところが一つ髙柳さんの独自のポイントなのかなと思います。

——

髙柳　たとえばその場所がこちら側の関心事に非常に関わりがあるとか、その目的のための場所であれば、それに従って向き合うこともできるかもしれません。でもそうでない場合は、その場所で自分が本当に絡むべきことを定めるのは難しいことだと思います。良し悪しを判断することが難しいということでもありますが、あることに基づいてそれをどう良くするか、基準がはっきりしていればどうするべきか決められるけれども、そうではない場合はけっこうややこしい。
　　この展示でも、この空間の状況をはっきり解釈できるものではないものとして、絡んでいます。さっき話したような、試しにこんなことをやってみようとか、奥行きがあるなというのは、いってみればとても現実的で、解釈とはちょっと違う。だから、そこで私が何かをすることで、なんとなく新しいこと、何かの文脈には入らないことが起きるような、そういう感じなのかもしれない。

——

千葉　文脈に入らない何かが、そこで起きるかもしれない。文脈に収めようとして空間にアプローチする作家が多いように思うんですけど、髙柳さんの場合はそうではないということが大きいのかもしれませんね。今回の展示ではａＭの備品の机を作品に使ったりもしていますけれども。

判断からの解放

髙柳　展示タイトルについて話を戻すと、「比較、区別、類似点」ということで、それぞれのものをどう見るか、見極めるかというようなテーマを設定していますが、結局見極められないということをいつもなんやかんやしている感じがあります。
　　さっき話した剪定鋏を使用した《性能》は、剪定鋏なりの出来事が起きているんです。枝を切るというその出来事は、その枝のその部分とこの剪定鋏の関係——私の握力も影響しているかもしれませんが、そういった関係性によって起きて、生まれている。そこでたまたま投入した3つの鋏の何かを比べられたのかといえば、できていないし、できないような気もする〔笑〕。

——

千葉　展示されている3つを行なったときのそれぞれの感覚というのはあるんですよね。そのことは体験としては髙柳さんのなかに

にあるけれど、鑑賞者から見えるわけではない。でもその体験込みで一つの作品として結実していると思うんです。

——

髙柳　私自体の感触がどうであったかというのはそんなに大事ではないと思っています。枝の切り口を見ると、「あ、これくらい切れるものなのかな」というのが結果としては見えるんだけれども。実際にそうやって切りながら、「あ、切った」というそれだけ。切ったという事実だけ。そういうふうに、何も比べていない。

——

千葉　比較したようで比較していない。

——

髙柳　していないです。《性能》というタイトルを付けていますが、本当にそれがそのまま、あるということです。「性能」というと、なんとなく点数とか、性能の差を付けたくなると思いますが、逆にそういうことから解放される良さを私が見つけたような気がして、これは作品にしていいかなと。

——

千葉　これが良いとか悪いとか、そういった判断から解放される。それはけっこう大きいですね。

——

髙柳　そうすることでいろいろな細部が、一つずつ浮かび上がってくる。それらは比較するものというより同列のものという感じがあって。そういう良さを私なりに実感したというような感じです。比べることをしながら、結局、一つひとつが何なのかを見ていくような。

——

千葉　比べようとして比べることによって、逆に比べられないこと、比べることの意味のなさが浮かび上がってくる。そこから結果的に解放されることになる。

——

髙柳　そうなのかもしれない。床材見本の作品も、どれか一つを実際に選ぶというのを目的にせずに、比べるということを行なっている。

——

千葉　今回の展示に限らず、それが常に態度として基本的にあるということなんですね。

——

髙柳　そうです。日常的に生活のなかでよく行なっているとてもよく知っている行動や行為に対して、どういう姿勢をとれるのか。「買い物って何?」と、買い物をしながら、途中で突然止まるような〔笑〕。

——

千葉　自分の行為自体を振り返るではないですけど、自分だけど自分じゃないような、もう一つ別の視点がそこに入るということですよね。

——

髙柳　気が付けばいろいろな作品を制作してきましたが、私が作品でなぜ日常的な素材を多く用いているのかを考えてみると、そういった素材は普段どう触るかがどこか決まっていて、触り方が固定化されているからだと思います。

——

千葉　そうですね。頭で考えて扱うのではなく、ある種、癖のように触れている。

——

髙柳　素材選びにもよくよく考えれば理由があって、そういうものをいろいろ触って、というようなことをずっとやっている。日常

で固定化されているようなことから、解放されたい。解放されて、まったく違うものになって、違うものとして接することができる可能性を期待してしまう。

——

制作と展示、二つの次元

千葉 解放されるという感覚を得たときにそれが、「これは作品になる」という一つの基準になっていると思うんですけど、それを作品として展示で見せる際に、解放されたというときの感覚とはワンクッション時差がありますよね。どの場所にどう置いて、どういう形でフィックスさせるか。それもある種の造形ともいえるかもしれませんが、その造形自体をどう見ているのでしょうか。

たとえば剪定鋏の作品も今回の展示のように写真2枚で見せて、机を置いて、木を置いて、剪定鋏3種類を置いている。いわゆる彫刻や絵画のような造形を行なっている人からすると、それをどうしてそういうふうにそこに置くのかと思えるような、高柳さんにしかできない置き方、見せ方、最終的なフィックスの仕方がなされていると思うんですね。それは作品化とはもう一つ別の次元にあると思うのですが、見せるときの基準のようなものはあるんですか。

——

高柳 作品はその出来事が起きたときに、それである意味ほぼ完成されたと自分では思うんです。でも実際にそれを展示場所に持っていくと、その場所に応じて変わらないといけなかったりする。その展示場所でどのような工夫をしてどのように設置するかというと、その起きた出来事が損なわれないようなかたちにすることが大事で、起きた出来事の私自身が大事だなと思える部分がうっかりわからなくならないようにする必要がある。その場で何か審美的に「こっちのほうがいいのかな」というような判断をうっかりやってしまったら、たぶん台無しになる。そういうことはあると思います。

——

千葉 そのあたりはけっこうシビアに気を付けていらっしゃるのでしょうか。

——

高柳 たとえば《置物セット》(2002)という作品があって、本や折り紙などのちょっとした小さなもので組まれている作品ですが、まずその作品の成り立ち自体、そのへんにあるものをふと持ってきて、本当に瞬間的に組んでできる。それは、その時点での感覚だったり、いろんなものに対してこれはこうであってほしいとか、そういう私自身のちょっとした価値観みたいなものの反映でもある。たぶん30秒くらいしたら「もうちょっとこっちのほうがいいかなぁ〜」なんてやり始めるかもしれないけれども、動かすのはナシ。それをもとに見取り図みたいなものを作る。

基本的には展示が終われば解体してまた箱の中に戻すので、展示するときは用意した組立図を見ながら組んでもらうことになります。他の方が展示をする場合も、私自身が再設置する場合も、ある意味では変わらないんですよね。作品を制作したその時点で決めたことと、あらためてその作品を組むことというのはまるで違うことで、まったく他人が行なうようなものです。形が生まれるということには、何かそういったことがついて回るような気がします。組立図を見ながら一生懸命その作品にしようとすること自体が重要というか、それを成り立たせたいという意志がないと無くなってしまうくらいのもの、そんなふうであってほしいというのもあって。私の作品といってしまえばそうなんですけど、でもその形を作ったのは今の

自分ではない、という感じはすごくあります。そういうふうにして自分のなかをバラす。

《ミックス》(2015)という作品も、たまたま置いたままにしてあった梱包材に、ふと「あ、これってこういう形なんだな」と思って、その形を認識するために、そこにカラースプレーをしたんですよ。ある一定の方向からね。それである意味その形とすごく自分が関係したような気持ちになる。ただ、いったんそこで認識するんだけれども、ちょっと動くと違う面があるじゃないですか。だからその前にカラースプレーをしたときの自分とはまた切り離されて、別な色をそこから噴く。その時はその前にやっている自分とある意味すごく分断があるというか、切断されている感じがする。だからそういう感じで《ミックス》というタイトルを付けた。自分のなかの時間差のようなこととか、まったく違う目的で偶然にも生まれる形とか、どれもほぼ同列のような感じに受け取ることができたら喜びがある。

——

千葉 その時なりの感覚があって、それが形になったときにもう一つ別の私が生成される感じなのでしょうか。つまり、作品を作っているときにも切断されているけれど、出来上がったものに対してもある種の切断というか……。

——

高柳 切断することを自分が体験できたというか、これとこれとこれが混ざったな、そのなかに自分のこれとこれとが入ってきている感覚を得られた、というような。けっこういろいろ試してみる。

——

千葉 かなり細かな感覚に基づいていろいろやっていらっしゃるなと思います。

——

高柳 そういう感じで自分自身の状態を揺さぶっているという感じもします。

——

千葉 揺さぶり続けないといけないのも、けっこう大変なことに思いますが。

——

高柳 いや、普段はほとんど揺さぶってないんですよ。だからたぶん揺さぶるということ自体が……。

——

千葉 作品を作ることにつながっているのですね。それが結局制作や展示のときなんですね。

——

高柳 通常は、ことがうまく運ぶようにという、わかりやすい目的に従って合理的に暮らしています。でもそうではないことを起こすことができる。それに美術という形が必要なのかどうかはわからないんですけども、今までやってきたことによってこういう展示の場をもらえていて、それができるというのは貴重だなという感じもしているんです。

——

千葉 美術というフィールドがあるからできるということでもある。

——

高柳 そうですね。

——

「効く」ということ

冨井 武蔵野美術大学の冨井大裕と申します。すごく記憶に残っているのは、NADiffが表参道にあった2005年に、雑誌『芸術の

山』の発刊準備イベントで行なった、高柳さん、豊嶋康子さん、森田浩彰さん、私という4人のトークです*。そのトークで高柳さんが「効く」という言い方をされていたのを覚えています。「それは効果ということですか?」と聞くと、「効果じゃない。効くという言い方のほうがしっくりくる」という話をされていて。今回のトークも美術として現前していることになんとか近づけて話そうとしているところがとてもスリリングですが、あえて今「効く」という言葉についてどういうふうに思われているのかを17年ぶりにお聞きしてみたいです。

――

高柳　確かに、今でもそれでいいのかもしれないというか「あー効いてる!」と感じるようなことはありますね。

――

冨井　効くというのは今回の言葉でいうと解放という感覚と近いんですかね。僕は「離れる」というふうに受け取っちゃったんですけど。作品が現れたときに驚くというか、「あ、こんなことだったのか」と。それもある種離れる、解放される瞬間だと受け取って聞いていました。

――

高柳　そうですね、すごく解放を呼ぶものですね。精神的な解放なのか肉体的な解放なのか……まぁ精神的な解放がメインですね、たぶんね。

――

冨井　その時も作家と作品の関係性は最後まで残ると思うのですが、さきほどの《置物セット》の話でも、作家性がどこまで残るのか。作品になると、作家・高柳恵里がそこに付随して残っていくじゃないですか。それからも解放されたいということなのか、そのへんはどうなのでしょう。

――

高柳　確かにあまり執着はないですね。やっぱりその作品を見て、その作品が成立した瞬間をあらためて自分で見つけたときに、「おぉ!」と驚くというか、自分でも貴重だなと思うんですよ。

――

冨井　たとえば美術館に収蔵されると一回作家の手を離れるわけですが、数年後に見て、「おぉ!」となるわけですね。

――

高柳　「ああ、確かにこういうことが起きていた」という充実感のようなものはありますね。そうしなかったら起きもしないことだったんだろうけども、起きたなぁというような。

――

千葉　高柳さんの今のお話を聞いていてもなんとなくちょっと混乱するのは、作っているときに「起きてる」とか「効いてる」という感覚になるのか、完成してそこにあるものがそこで何か効き目としてある感覚があるのか、どの瞬間に「効いてる」のでしょう。

――

高柳　作品としてある状態に、ですね。

――

冨井　「判断の尺度」の企画趣旨文にも「普遍」という言葉が使われていましたが、他者に共有するときに、個人のものだけに回収されない共有性のようなものは、どのレンズから見るかにも関わるような気がします。たとえば作り方一つとっても、たぶん絵画とか彫刻といったものを前提としてフィルターをかけてしまうことが多いと思うし、僕なんかは彫刻というレンズがガチャっとはまってしまうんですけどね。もちろんそのことで得られる別のフェーズや共有性もある。けれど高柳さんの場合たぶんそういうことではない。普通というとちょっと野暮とい

うか簡単な気もするんですけど、もうちょっとそれ以前のもの、彫刻とか絵画を作ろうと思うときに作らせてしまう部分に立ち戻ったレベルのことで、つまり最初に話された選択の行為のこととか、そういうところにあるのだと思います。

*　「芸術の山／第0合／発刊準備公開キャンプ『立体編　その1』」第2部、プレゼンテーション「アーティストは、何を／何かを作っているのか?」2005年9月24日、NADiff
　参加アーティスト
　冨井大裕＋高柳恵里＋森田浩彰＋豊嶋康子
　http://mountainofart.blog18.fc2.com/blog-date-200509.html

作品リスト	Exhibited Works
1　《敷く（実例）》 2022年｜6畳間カーペット、ポリシート 8×395×294 cm —	**1**　*Lay Out (Experiments in Practice)* 2022｜Carpet for a 10 square-meter room and polyethylene sheet 8×395×294 cm —
2　《実例》 2022年｜泥、ポリシート 2×143×96 cm —	**2**　*Experiments in Practice* 2022｜Mud and polyethylene sheet 2×143×96 cm —
3　《実例》 2022年｜泥、ポリシート、テープ 84×123×118 cm —	**3**　*Experiments in Practice* 2022｜Mud, polyethylene sheet, and tape 84×123×118 cm —
4　《実例》 2022年｜床材見本 0.2×194×30 cm —	**4**　*Experiments in Practice* 2022｜Flooring samples 0.2×194×30 cm —
5　《奥行き》 2022年｜ミネラルウォーターペットボトル サイズ可変 —	**5**　*Depth* 2022｜Plastic mineral water bottles Dimensions variable —
6　《仕組み》 2022年｜テーブル、椅子 80.5×183×150 cm —	**6**　*Mechanism* 2022｜Table and chairs 80.5×183×150 cm —
7　《仕組み》 2022年｜ハンカチ、クリップ、釘 40×32×8 cm —	**7**　*Mechanism* 2022｜Handkerchiefs, clips, and nails 40×32×8 cm —
8　《棚板》 2022年｜棚板 5×113×40 cm —	**8**　*Shelf Boards* 2022｜Shelf boards 5×113×40 cm —
9　《性能》 2022年｜インクジェットプリント 29.1×41.6 cm（シートサイズ） —	**9**　*Performance* 2022｜Inkjet print 29.1×41.6 cm (sheet size) —
10　《性能》 2022年｜インクジェットプリント 29.1×41.6 cm（シートサイズ） —	**10**　*Performance* 2022｜Inkjet print 29.1×41.6 cm (sheet size) —
11　《性能》 2019年｜剪定鋏、枝、草 サイズ可変 —	**11**　*Performance* 2019｜Pruning shears, branches, and grass Dimensions variable —

試してみる。使ってみる。やってみる。

　鑑賞する側が試されているような、とは高柳作品に対してしばしば言われることだが、確かにそれは否定できないものの、やっている本人もまた、全てを把握できていないというのが本当のところではないか。作品として展示することになるもの（事といった方が正確だろうか）を前に驚き、思考を始動させる。だから作家自身もある意味では、私たちと同じ立ち位置にいるのであり、それでもやってみるという態度こそが、高柳の作品を作品として支えている。

本展でも高柳は、縦方向に延びる展示スペースのなかで、さまざまな「〜してみる」を展開している。

　例えばビニールの上で乾燥して固まった泥の塊。一方は床に敷いたビニールの上で。もう一方は、壁から床へと垂らしたビニールの上で。水平に広がる泥と重力でへにゃりと押し潰されてできた泥。同じ素材から生じた状態の相違。取り立てて特別なことではないが、やってみるとそうなるのかと納得する。

　床材見本を3枚ずつ選んで並べる。複数あるなかから3枚をどう選ぶか、順番をどうするか。実際に並べてみて初めて3枚としてのあり方を実感することができる。やってみなければ分からない。ただし、タイトルに《実例》とあるように、実際の「例」であるから、例はいくつも作ることが可能で、正解があるわけではない。物事は任意に変更可能で、しかし、ここではこうなっている。

　3種類の剪定鋏とそれらで切った3本の木。高柳本人が言う通り「性能による結果」は目に見える形としてそこにある。しかし性能は使用する前には分からないし、性能として記述できることは様々にある。道具としては同じであっても、比較でしか語れないこともあるし、比較したところで分からないこともある。

特別な行為ではない。しかし、それを意識化することで初めて実感されることがある。作品として、態度としてやらなければ、行為は省みられることなく流れていく。そこで思い当たって頭に浮かんだのが「使用」という概念である。日常にあるものを使い直す。それは、習慣化され、自身の所有下に束ねられた行為自体を不知のものとして扱い、使い直す行為だともいえるだろう。

　「奥行き」を作っているのは、以前、別の展示で使用したペットボトルである。手前から奥に行くにしたがって、大、中、小とボトルのサイズが小さくなる。細長い空間の奥行きがいっそう強調される。ここでペットボトルはこの場所を現出させるように、以前の展示とは違う仕方で置かれている。それによって、事物と世界の関係が違う様態として顕になる。ただし高柳においては、ものに特異な意味を付与するわけでは決してないし、ものが置かれたことで変化する場所は、そのことを殊更に強調されはしない。

ものは場所性と過剰に結びつくことなく、あくまでも間借りしているといった態度で、微のように慎ましやかでもある。

習慣や決まり事といった先行するルールに従うことを一旦放棄する。そうではなく、事物に対して「適切な」振る舞いをしようとする。それは、無意識的に規定された私たちの日常の箍を外す行為であり、そこから別のルールや可能性が生まれる。高柳の振る舞いが、ひとりごちているのではなく、個人を超えたところにあると思わせるのも、その仕草ゆえなのである。

千葉真智子

To test out. To attempt at using. To give it a try.

Eri Takayanagi's works are often described as giving the impression of putting viewers to the test. While this cannot be denied, perhaps the truth is that even the artist herself does not have a complete grasp of what she is doing. She is taken by surprise when confronted with the thing (or more accurately, the event) that is presented as a work of art, and begins engaging in contemplation. Therefore, the artist herself is conceivably in the same position as us viewers, and it is this attitude of "attempting" that supports Takayanagi's artworks and makes them what they are.

In this exhibition, Takayanagi also engages in a variety of "attempts" within the long expanse of the gallery.

For example, there are lumps of mud on plastic sheets that have been left to dry out and harden. One on a sheet laid out on the floor, and the other on a sheet that hangs down from the wall onto the floor. The former lump of mud spreads out horizontally, while the latter appears limp and squashed due to effects of gravity, thus indicating differences in the state of the same material. Although it is nothing special, one is convinced that this is indeed outcome should such attempts be made.

Two sets of three flooring samples are laid out. How does one select three samples out of the several choices that are available, and in what order should they be arranged? It is only when they are laid out next to one another in this manner, that one realizes their state and appearance as an arrangement of three. If one doesn't try, one will never know. However, as the title of the work *Examples in Practice* suggests, they are "examples," thus indicating that it is possible to create any number of examples, and that there is no correct answer. Things can be changed arbitrarily, yet such is the case that is presented here.

Three types of pruning shears are presented together with three branches that have been cut using them. As Takayanagi herself states, the "results in performance" are demonstrated here in visible form. However, performance is not something that can be determined before use, and many different things can indeed be described as performance. Even when it comes to the same tools, there are things that can only be explained through comparison, and things that cannot be understood despite comparison.

These acts are nothing out of the ordinary. However, there are things that can only be recognized through drawing awareness to them. Should these acts not be implemented as works of art or as an attitude, they are bound to escape our consciousness without being subject to reflection. What came to mind in relation to this was the concept of "use." That is, to reuse the things that we come across in our daily lives. This reuse could be described as an act wherein the act itself, which has become habitual and controlled under one's own possession, is treated as something that is unknown.

In the work *Depth*, a sense of depth is created using plastic bottles that were previously used in another exhibit. Going from the front to the back of the space, the bottles decrease in size from large to medium to small. The depth of the long and narrow space is thus further emphasized. Here, the plastic bottles are placed in a different way to in the previous exhibit, as if to enable this place to emerge. As a result, the relationship between things and the world becomes manifest in a different manner. Takayanagi, however, never assigns specific meanings to things, and the places that are transformed due to their placement are not emphasized as such. The things are not excessively connected to the place in which they are installed, but rather, appear like subtle signs that temporarily inhabit it.

It is an issue of abandoning one's adherence to preestablished rules such as customs and conventions, and behaving "appropriately" with respect to things. It is an act of removing the leashes that are unconsciously prescribed within our daily lives, and in doing so, other rules and possibilities emerge. It is this very gesture that makes her behavior seem not merely personal, but as that which extends beyond the framework of the individual.

Machiko Chiba

メディウム で / が 語る

メディウムを介してダイヴしようとすること。
絵を造りながら加藤さんがしていることを、こう言ってみることはできないだろうか。
絵画が「絵画」として存在する以前に遡る時間、あるいは美術とされる枠を超える領野。あえてメディウムを引き受けながら、なおそこに向かおうとすること。

今回の企画を考えるなかで頭を占めていたことの一つは、いまある判断や批評の枠組みそれ自体からどう逃走することができるか、ということであった。私たちが使う言葉は、了解されているルールがあってはじめて機能する。この決まりごとに慣れていくなかで、私たちは判断そのものを、無意識のうちに私の外部に委ねてしまっているのではないだろうか。

美術には、いくつかのジャンルと呼ばれるものがあり、そのジャンルに特有のメディウムがあり言語がある。だから、作品を作ろうとすれば、おのずと長年の蓄積によって形成された問題の系譜を頼りにしてしまうし、作品を見ようとすれば、おのずと聞き覚えのある批評言語を当てはめてしまうこともあるだろう。しかし、長年の使用に耐えてきたメディウム＝言葉には本来、私たちが限定的に使用する以上の、自立した可能性が潜んでいるのではないか。メディウム自体が、私たちを新たな地平に導いてくれるのではないか。メディウムを、放棄することなく扱い直そうとすること。
あえて、もっとも古いメディア＝絵画でその実践をしてみるのがよいだろう。

使い古されたはずのメディウム＝言葉を通して遠くに行く。
思いきって、私の手癖を放り投げる。作家も。批評も。そうしたとき、私たちは何から解放され、何を得ることができるのだろうか。

千葉真智子

Speaking Through / By Means of the Medium

Perhaps one could describe what Takumi Kato is trying to achieve via the production of his paintings as an attempt to dive through the medium. That is, an attempt to venture to a time before painting came into existence as "painting," or to a realm that transcends the framework of art, all the while intentionally engaging with this particular medium.

One of the things that occupied my mind when I was thinking about this project was how it would be possible to escape from the existing framework of judgment and criticism itself. The language that we use can only function if there are a set of agreed rules. As we become accustomed to such rules, we are perhaps subconsciously entrusting our judgment itself to that which lies outside of oneself.

In art there are things referred to as genres, and each genre has its own medium and language. Therefore, when attempting to create a work of art, one may naturally find themselves drawing reference to the genealogy of issues that have been accumulated over the years, and when viewing a work of art, may be prone to applying familiar discourses of critique. However, it seems that the mediums = forms of language that have endured many years of use are that which inherently harbor an independent potential beyond our limited applications. The mediums themselves may lead us to new horizon. What thus becomes key is to revisit and re-engage with mediums rather than simply abandoning them.
It seems optimal to put this into practice through the medium of painting that is the oldest medium known to humankind.

To journey far away through a medium = language that could indeed be regarded as over-used and exhausted.
To take the plunge to abandon one's habits, any preconceptions of the artist, and even critique. In doing so, what can we liberate ourselves from, and what can we gain?

Machiko Chiba

加藤巧

To Do

Have
something
that
defines
my
judgment

Takumi
Kato

To Do

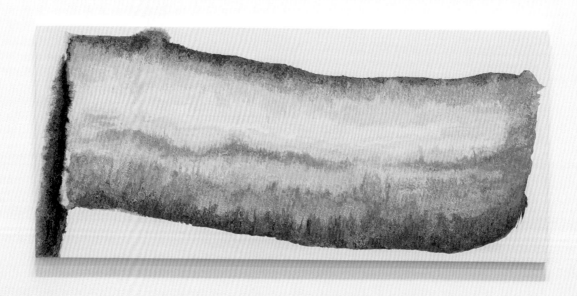

1 〈To Declare (flag)〉

6 〈To Paint (barbed wire) 01〉

12 〈Fossilised Scenery 03〉

Takumi Kato: To Do

9〈Macaroni 01〉

13 〈Soil Layer〉

To Do

何者かの運動軌跡がある表面に残っている、その様子を見る。それぞれの振る舞い(≒運動軌跡)には、運動の種別ごとに、用途ごとに、場面ごとに、「動詞」が割り当てられている。表面に現れている強弱、方向、材料の状況、使用された道具、などから、その振る舞いがどのようであったのかが観察される。もしくは、その振る舞いは「どのようにもあり得たのか」。

日々は振る舞いの集積でできているが、その行為のそれぞれを振り返り、つぶさに見ることができるだろうか。行動はどうであるのか。日々残し、または残ってしまう運動の軌跡は「どのようにもあり得るのか」。

加藤巧

To Do

I look at the way in which someone's trajectory of motion remains upon a particular surface.
A person's behavior (≒ traces of motion) is respectively assigned a "verb" for each type of motion, application, and scene. Their behavior can be discerned through the dynamics, directions, conditions of the materials, tools used, etc. that are observed on the surface. Or alternatively, it is a matter of "how those behaviors could have been."

Every day is made up of an accumulation of behaviors, but is it possible to look back and see each one in detail?
What about our actions?
Can the trajectory of motion that is left or inevitably remains every day turn out in "any way possible?"

Takumi Kato

千葉　第2回目は加藤さんにお願いしたのですけれども、それは、物事の良い悪いだとか作品の良し悪しだとか、判断自体をどうするかと考えたときに、制作や芸術にどうしてもつきまとってくるジャンルの問題やメディウムの問題をあらためて問い直すべきだと思ったからです。メディウム自体の可能性のようなものをもう一回、ちょっと引いたところで見直すような意図で依頼しました。

　　　加藤さんに依頼したもう一つの理由は、加藤さんはただメディウムの可能性を探っているというだけではなくて、本当は加藤さんの制作の先には、違う目論見が潜んでいるんじゃないか、もっと何か他に言いたいことがあるんじゃないかというのを、加藤さんの制作の態度や発表の仕方、振る舞いから感じ取っていたからです。制作をするときに何をメディウムとして使うかという選択の現れ自体にも、そういうことが実際には潜んでいるのではないかと思いました。

加藤　これまでの僕の活動や制作がどう認識されてきたかを考えると、どちらかといえば、絵画の材料を使ってあれこれやっている人、という認識が優先されてきたように思います。そういうなかで、千葉さんが僕に「判断の尺度」というこのテーマを持ってきた。「目論見」という言葉で言ってくださいましたが、実際のところどうなのかと。僕が考えていることは、それこそ絵画の材料の話だけにとどまらない部分がありますし、それについて語ることを避けられないというのが、初めにお話をいただいたときの印象でした。意外といえば意外でしたが、一方で何かを感づかれているなという印象でした。

千葉　その部分はなんとなく加藤さんの作品からも匂ってくるし、制作態度からも感じられました。もう一つ後で大きく触れますが、少しだけ話してしまうと、別な関心も私の頭の中にはありました。アナキズムと新印象主義の関係に代表されるように、絵具をどのように置き、どうやって絵画の画面の構造を作っていくかというそのこと自体に、実はすごく政治性が含まれているということです。そのような自分の関心を、加藤さんが制作している作品に当てはめたところもあったとは思います。でもそれが意外とそんなにずれていなかったんじゃないかというのも、加藤さんと実際にお話ししてみて、思ったことです。

　　　加藤さんと話をしているときに、判断の尺度について考えるなら、物事の良し悪しをちゃんと丁寧に言葉にしていく必要があるんじゃないかと、言ったと思うのですが。でも逆に加藤さんはその良し悪し、良い悪いということを極力言いたくないとおっしゃっていたと思います。作家の長い人生のなかでは、本当に作品が良い時期もあるし、一方で作品としてはベストではないかもしれないけれども、制作のなかでは必要な時間だった、それがなくてはならない作品だったという可能性もある。だから一口に良い悪いという判断の仕方をすることはできないんじゃないかと。加藤さんがそうおっしゃっていたのが印象的で、その言葉自体にすごく加藤さんの態度が現れていると思うんですよね。

加藤　そもそも自分のなかに潜んでいるもの、滲み出てしまっていて千葉さんが拾ったものというのが結局何だったのかを、僕もあらためて聞きたいです。今日のトークのなかでなるべく拾えたら良いと思います。

観察としての制作

加藤　初めに制作の話を少しさせてもらおうかなと思います。今この配信を見てくださっている方々は、物を作るとか、作られた物を見るとか、そういうことに関心がある方々だと思います。僕の場合は何に関心があるのかをお話ししますと、たとえば筆に絵具をつけて紙にスーッと線を引く。そうすると表面に筆が触っているその感触が気持ちいいとか、そういうことがある。あるいは、そこに現れたただ一本の線の跡や筆跡がずっとそこに残って、他の人がそれを見たりする。そのこと自体が謎だと思うんです。なぜ人が人の付けた跡を見て、気持ちいいとか気持ちよくないとか、良いとか悪いとか、面白いとか綺麗とか汚いとか言うのか。そのこと自体に興味がある。そこがまず僕の基本的なペインティングに対するモチベーションだと再認識しています。

　　　今いるのは自分のスタジオです。ここにある刷毛を横にサーッと引いたり、他の筆、たとえば「ラウンド」という丸い筆でスーッと引いたりする。そうすると、横に引いた線と縦に引いた線で、ちょうど旗みたいな形に見えていると思うんですけど、跡が残る。そのような「筆跡が残っている」ということについて、僕は考えたいと思うんです。今度は「筆跡の残った表面」をモチーフとして横に置いて、これをもとに一回この絵を描き直す。自分の筆跡を見ながら、自分の動き、表面においての自分の振る舞いとでもいうべきものを、小さい筆で、自分で練り合わせた顔料で、一個一個観察して置き直していく。観察した跡を表面に残していくように、一つひとつ置き直していく。その結果できたものが自分の作品になる。αＭの会場では、基本的にはこういうふうに作られている作品が15点展示されています。

千葉　一見すると、素速いドローイングのように描かれていると見える作品もあります。でもそれも、もともと描いたものをもう一度辿り直したときには、緻密にすごく遅い筆で描いていくわけですよね。

加藤　そうですね。モチーフとしている筆致自体はすごく一瞬のものが多くて、線を引く時間はたいてい1、2秒ほどです。でも、そこで起こっている振る舞い、力がどういうふうに入っていたかとか、どういうふうに表面に触れたのかとか、そういうことを観察したり自分で振り返ったりしながら置き直していきます。「もっとこういう筆跡にもなったかなぁ」とか。

千葉　自分のその時の制作を、描くことによって振り返ることもあるんですね。

加藤　こういう形の筆跡のモチーフ作りを一つの作品について数十枚はやることが多いです。そのなかから一点選んだり。似たようなことを繰り返しやり直して、ピックアップして、「これを観察対象にしよう」と。

千葉　それを選んでいるというのも面白いところですね。

加藤　だから没のものがたくさんある〔笑〕。

千葉　その選択基準が何なのかというのが不思議なところもある。

加藤　たとえば、コップの絵を描く絵描きがいるとしますよね。その人はコップをモチーフにしてコップの絵を描く。それと同じで、今言ったモチーフとしての筆跡作りは、僕にとってはモチーフのコップにあたるものです。

コップを描く絵描きも、「このコップを描きたい」と思う前に、他のたくさんのコップに出会っているんだと思うんですよ。この「コップが良い」と思うときに、それは他のコップではダメだったりする。僕の場合は「観察してみたい」という欲求のようなものを頼りに対象を選んでいるので、言葉にするのがなかなか難しいですけど。やっぱり、適当に描きすぎてしまったと感じられるものや、逆に力が入りすぎてしまったなと思うものではなく、良い具合に自分が和んで、かつ、ある程度しっかりと筆跡を残せたときのものを選びます。でも、「感覚」ばかりを頼りにしているのではわからないことが多いので、それをわかりたいということでしょうか。これまで以上にそれがわかるようになったら、次からはもっと再現性がある形で気持ちよく描けるかもしれない、というのがあって。表面で起こっていることの正体というか、振る舞いにおいて、自分のなかで起こっていることと画面の上で起こっていることの正体をなるべく自覚したいという要求が、あるんですよね。

千葉 それをなぞるときに、基本的にドットなどに落とし込められていくじゃないですか。そこで起きている変換が何なのかというのが、面白いところでもあり不思議なところでもある。そこで起こっている運動の時間の速さが、ドットの集積の多さや、そういうものに還元されていくわけですよね。ぐっと力が入ったところは色が濃くなってそこに集積ができているので、力が入っていたのがわかるというような。

作ることと鑑賞すること

千葉 通常、身体性を作品から感受するといったときには、いわゆる伸びやかな身体性、ダイレクトな身体性を感受することが多いと思うのだけれど、加藤さんの作品では、それがかなり違う形に変換されている。だからこそそれを見る人が、ダイレクトに身体性として見てしまうと、感受できない部分も生じてしまう。そのあたりのギャップを加藤さんはどう考えていらっしゃるのですか。身体性を鑑賞してほしいということではないから、そこは問題ではないということなのか。加藤さんの作品を見るときに、何をみんなが見ているのか。加藤さんが見る人に対して、ある程度想定して、期待することがあると思うんだけど……。

加藤 想定してほしいこと……。

千葉 見る人がいることの不思議さについても最初おっしゃっていたので、その見る人のいる不思議さをどう思っているのかなと。

加藤 大事な話だと思うんですけど、いったん展覧会会場の具体的な話に移したら、鑑賞の話もしやすいかなと思います。とはいえ鑑賞の話といっても、今は展示中ですし、やっぱり僕は完全な鑑賞者としているのかどうかはちょっとわからない。だからセッション的にそういう話に辿り着きたいと思うんですけど。
　それで、いったん展示作業のときの話をするといいのかなと思うんですよ。展示作業というのは、鑑賞する人を想定してする行為ですし。

千葉 そうですね。

加藤 思い返してみると……けっこう作品を持って行きましたよね。

千葉 そうですね。持ってこられた作品の点数は多かったですね。

加藤 候補作品自体は20数点から30点ぐらいあって、さらに広げた候補も含めると初めは40点以上あった。
　今回の展示作業のときにどんなことを念頭に置いていたかというと、作る人と鑑賞する人の領分をしっかり明確にしたいという意気込みはありました。鑑賞する人が、その人自身の能動性を発揮できるようにしたかった。鑑賞者が、自分から見る、自分が近寄って見る、遠ざかって見る、歩いて見る、上のほうを見る、下のほうを見る、意味を探って見る、自分に置き換えて見る、言葉を介して見る、言葉を介さずに見るとか、いろいろなモードで適宜鑑賞できるようにしたかったんですよね。もちろん展示だから、「作家が取り組んでいること」を示す必要はあるんだけれども、それと同時に鑑賞する人の能動性を喚起するというのかな。

時間の幅、人類以前の時間

千葉 今回、展示会場に入ってすぐの場所に《Soil Layer》(p. 48 / cat. no. 13)という作品を展示しています。今回の展示ではある種の基準になるような作品ですけど、何かそういう感じで展示できるといいですよねという話はしたと思うんですよね。

加藤 「判断の尺度」というテーマに合わせても、すぐ納得がいきました。《Soil Layer》という作品は、横方向の刷毛目を下からざっざっざっと上に積み重ねたものをもとに描き直しているものです。作品で使われている顔料は下から上まで年代順になっているんです。一番下のほうが、そもそも地球にあった歴史の古い顔料。上に行けば行くほど、近代や現代に人工的に作られて登場してきた顔料。

千葉 化学的な顔料もあるということですよね。

加藤 そういう人工的なプロセスで作られたものが上に来るようになっています。とはいえ完璧に年表のように長さ自体が合っているわけではない。というのも人間が登場する前の時代はすごく長いから、長さを合わせると、そのあたりが全部茶色になってしまうので。

千葉 要するに土とかそういう鉱物系のものということですよね？

加藤 そういうものが下のほうに多くて、そこから炭素が出てくると、人間がいたんだなということがわかる。地層を標本にする、地層の剥ぎ取り標本というものがあるんですけど、それになぞらえて作った作品で、いわば定規のようなものです。だから展示会場の入り口を入って振り返った場所、いわば展覧会の早めの段階の場所に、基準として一つ置くのは良いと思ったんですよね。

千葉 そうですよね。

加藤 これによって上下の軸ができますよね。aMは地下にありますし。展示会場に入って左奥側にあるのが、《Fossilised Scenery 03》という作品です。これは地層の中の生き物がいた跡が残っている生痕化石というものから着想を得て作った作品です。その近くに上下の動きのある梯子の形の作品《Ladder 01》《Ladder 02》を配置したり、このあたりはそういう年代的な、地層的なイメージや、上下のイメージを持ちながら構成していました。《Macaroni 01》もそうです。この作品も洞窟壁画の中の手で擦り付けた跡をもとにフレスコを読み替えるようなかたちで作った作品です。擦り付けのところに顔料をなぞるように入れていって、表面にはその当

時あったような土系の顔料だけでなく新しい部類のものも使って
いたりします。洞窟壁画の時代にいた人間と同じように、自分も跡
を残すというようなことを考えて作った作品です。

千葉 時間の幅を人間以前、人類以前というところに持っていくところが
加藤さんの制作においても重要なポイントなのかなと思っています。
顔料というレベルでそれをやっているのが特徴ですね。人類以
前の存在の可能性、人類以前にあったことが、今の私たちにどう
介在し、何かを媒体にして残っているのかというような、超時間的
なものの考え方というのは、近年、多くの人に共有されている関心
事ではあると思うんですけれども、それを加藤さんは顔料を通して
具体的に形にしている。それこそメディウムの可能性自体がそう
いうところにも現れているのかなと思ったんですね。あえて古いメディ
ウムを使うというのも面白いところだなと。

即身仏とマテリアル

加藤 〈Soil Layer〉とか、生痕化石をイメージしている作品と似たような
系列の作品が《Cave (Tanigumi | Mummification)》です。コロ
ナ禍で一番出歩きにくかった時期に、美術館もギャラリーも閉まっ
てしまって、いろいろなものを見たいという気持ちになってもどこも
開いていなかった。その時期に、人間が作ったものではなくて人
間以外のものが跡を付けたようなものを見たいと思って、地層を
見に行ったり化石を見に行ったりよくしていたんですね。その時
に出会ったのが、岐阜の谷汲というところの両界山横蔵寺という
お寺にある即身仏でした。お坊さんがお腹の中を空っぽにしてそ
のまま仏様になられるという。それを見に行ったら、本当に誰も来
ないのでずっと見ていられるんですけど、お坊さんが自らの体をマ
テリアル化していく、物になっていこうとするというのが、自分の作
品の、振る舞いを物に変換するということと共通点があるような気
がして。でも僕は即身仏になる修行をしたことがないので、どういう
心持ちかはわからないんですけど、自らがマテリアルになっていくの
はどういう心持ちだったんだろうなと想像したんですね。それで洞
窟的な筆跡と、よく見ないとわからないですけど、UVを当てたりす
ると光が人の形になります。

千葉 蓄光の顔料を使ってる？

加藤 蛍光が使われてますけど。ピンクの線を追うと人の形がなんとな
くわかるように。

千葉 なんとなくわかりますね。

加藤 行為自体がマテリアル化するということで、この作品を取り上げま
した。今回の展示では行為自体をテーマにしているので。

千葉 それこそ加藤さんが言っている制作の振る舞い自体が絵具という
マテリアルを通して定着しているという、まさにそういうことですね。

材料に宿る歴史

千葉 話を少し戻しますが、時間の幅とか時間の感覚をどういうふうに思っ
てらっしゃるのか。もともとテンペラをしていたというのはもちろんあっ
たと思うんですけど、すごく前の時代まで遡っていくことは昔からやっ

てらっしゃることなんですか。

加藤 そういう制作をしはじめたのは僕が大学生の時からです。絵具を練っ
たり、材料の背景を調べはじめたのが2007年頃です。会場の中
で《2 touches》という作品は、特別古い作品として出させてもらっ
たんですけど、2010年に制作したものです。ある植物を描いた水
彩の一部の筆致を切り取って、それをモチーフとして観察して描く
ということもしています。それが2010年なので、そういうタイプの制
作はすでにそのぐらいの時からは行なっていました。

千葉 その時から、超時間性というか、そういうことも念頭にあってやって
らっしゃったんですか。関心は顔料自体の面白さのところだけ
だったのか、もうちょっとそれが観念的、概念的、理念的と言っ
ていいのかわかりませんが、そういう意味での試みをしていたのか、
あるいはやっていくうちに変化していったのか。そのあたりはどうな
んですか。

加藤 時間については、材料について取り組んでいくなかで関心が強まっ
ていったのかなと思います。
　大学では、絵画のコースから彫刻のミクストメディアを取り扱う
コースに転コースしたんです。現代においては、自分の考えている
ことややりたいこと、表出したいものを、どんな材料を選んで制作
することもできるわけですよね。そのような環境のなかで、絵描きは
なぜ絵を描くことからスタートできるんだろうという関心があって、あ
えてミクストメディア的な環境に自分を置いてみようと思ったんです。
学校では彫刻科で学んでいるけど、絵も描いている。当時は絵を
描くことは、学校ではない場所でしたかったんです。
　学校では材料を取り扱うコースにいたんですが、絵画の材料
にはこういうものがあるぞ、こういう見方があるぞと、提案や紹介を
してくださる方がいて。それがきっかけで実際に本で学んでみたら、
すごくハマってしまって。それで当時持っていたチューブ絵具を全
部人にあげてしまって、顔料を全部買い揃えて、自分で使う画材
は全部顔料にしてしまった。その時に顔料のことを知らないと取り
寄せできないし、そもそもプロセスとしていろいろな材料、ミクスト
メディア的な状態から絵画材料を選び直すという状況に至ったのも
あって、他の材料にも意味が発生するのだから、絵画の材料一つ
ひとつにも意味は発生すると思って。
　それで調べていくと、たとえば『絵画材料事典』というすごくポピュ
ラーな文献があるんですけど、そういうものでたとえば「バーミリオン」
を調べると、その材料の性質だけではなく来歴というか、「歴史上
既にこの時点から使われていました」とか、そういう情報までも書いて
あったりするんです。それで、絵具を構成する材料の一つひとつに
もいろいろ情報があると気付いて。もともとは人が発見したり掘り
に行ったりしていたものだもんなと。そして、画家の手に渡るまでに
は流通があったり、人が介在していたり。

千葉 それ自体に歴史が含まれている。

加藤 それを引き受けるのはなかなか大変だとは思ったのですが、そこ
にも情報があるのに自分は何も知らずに制作していたんだなとも
思ったんです。だからここに埋まっているものは、もしかしたら考え
れば考えるほど味が染み込んでいるものではないかと思ったんです。
初めは彫刻コースのミクストメディア的な環境で自分がやれること
がないか探っていたのですが、今まで絵を描くうえで実感できてい
なかった材料一つひとつのことをちゃんと汲み取っていくことで、ミ
クストメディアでやりたかったことができるかもしれないと、予感とし

て思ったんです。実際にやっていくのには、けっこう時間がかかったんですけど。

千葉 初めて具体的にお聞きしました。加藤さんが古い顔料を使っているとはもちろん思ってはいたんですけど、それに伴って時間の感覚や歴史性といった、そこに含まれているもっと大きな情報が立ち上がってきて、それが本当に作品において時間を扱うなかに、ある種実感を持って結実しているということが、今お聞きしてわかった気がしますね。どうしても時間のことは、もうちょっと観念的に考えてしまうから、それがある種の具体性を持っているというのは、加藤さんの特異性なのかなと今お聞きして感じました。

作品が含む複数の時間

加藤 時間ということでいうと、先ほどの一番初めの作品の説明のような感じで、一瞬の筆跡と点描的に積み重ねていく時間のかかる仕事、それぞれの良さや効果の違いがあるときに、その両方をちゃんと含みたいという気持ちもあります。自分が制作するなかでの一瞬の筆跡と筆圧にかける時間と、もう少し長い時間。制作のなかの時間と、僕がよく調べるエッグテンペラやフレスコといった技法が想像させてくれる過去の時間。後者は、500年前は絵描きはどういう存在だったんだろうとか、洞窟壁画の時の人間というのはどういう人間だったのかなとか、古墳のように何か絵を描きたいとか跡を残したいとか伝えなきゃいけないと思った人がいたのかなとか。技法を通して、そういう長い時間の想像をさせてくれるものでもあって。

千葉 時間は一種類ではないから、複数の時間のようなものが実践として行なわれているということかな。

加藤 時間が捻れたり、複数の時間が同時にあったりする。それがペインティングとして壁にかかっている、と。たとえば、気持ちが急いでいたらなかなかじっくり向き合うのが難しくて、さっと表面を撫でるように見て通り過ぎるという付き合いもできるし、逆に人間は人間のタイムスケールを超えるような付き合いもしてきたと思うんです。絵画や芸術作品だけではなくて物に対して。そういう意味で、長い付き合い方ができるものとして、一つのペインティングを認識したいという気持ちはありますね。

千葉 それは逆にいえば、私たち鑑賞者が見ていけばよいことなのだとも思います。どういうふうに見ることができるかという、こちら側の問題もあるから。

加藤 そうですね。結局、僕自身ができることというか、自分のスタジオで自分のすべきだと思ったことをやる。それが形になる。でも、それが自分がただやれたらよい、で終わるわけではない。描いていくと、やっぱり筆が止まる瞬間が来るんです。終わりの瞬間が。作品が終わりました、描き終わりましたという瞬間が来る。だからこそ手が止まるまで、なるべく描こうとするんですよ。その時になるべく自分で良し悪しを判断せずに、自分が観察すべきだと思って進められるところまでやりたい。いろいろな考えを入れながら、いろいろな顔料を使いながら。顔料を変えるとやっぱりその顔料の性質によって少しだけ観察の仕方が変わったりするし、筆を持ち替えたら少し変わったりもする。

千葉 なるほど、観察の深度を深めるというか、観察のバリエーションを増やすというか、極力いろいろなことをその中に投入していくのですね。

加藤 いろいろな考えを入れる。でも変化は、ここには小さい点を打つとか、そのような細かいことなんだけれども、意識の仕方によって跡の付け方は微妙に変わっていったり、ずれていったりする。そうしていると、自分でもおかしくなっていく。手が止まってふと引きで見たりすると、「何してんだこれ」と思うんです（笑）。

千葉 描いているときは没入しているのとは違うんですか。でもすごく思考はしているんですもんね。

加藤 没入したらダメで。なるべく和ませておいて、いろいろな考えが入ってくるようにするというか。いろいろな考えを手が反映できる状態に和ませておく感じです。一個の考え方に凝り固まっていたら、一個の観察の仕方しかできない。一様な行為しかできなくなってしまうので。そこにはすごく細かい範囲で遊びというのはあるんですけど。想定しているベースがあっても、出来上がってくるとやっぱり自分が想定していないような状態になる。そういう時、制作中たぶん僕ニヤニヤしているんですよね。「何だこれ（笑）」と思うんですよ。見た目に対しても、自分がしていることに対しても。それがたぶん作品から手が離れてくることと同じタイミングなんです。自分が付き合ってきたペインティングと自分とが別個になってくる。そういうものを、展示で皆さんと一緒に見たい。

だから、なるべく制作のプロセスも説明しますし、その間で考えていることもなるべく説明したいと思っています。それは自分の制作を自覚していきたいなと思ってやっていることでもあるんですけど、最終的には自分がやったにもかかわらず、不思議だなと思ったところについて、判断ができなくなるところまで制作して、そういうものを人と一緒に見たい。その時に自分も鑑賞者も一緒の地点に立っていたいんです。初めのほうで僕は鑑賞者の視点に立つのは難しいと言ったけど、よくよく考えてみると。

千葉 ある種自分と切り離されて、そこで。

加藤 そういうふうに、サンプルのようになってしまった状態として、自分のペインティングを捉えているんですよ。そういうところでいうと、良し悪しというのを途中で判断してはいけない。今まで知っている良いとされるものとか、世間的に相対的に良いとされるものとか、倫理的に悪いとされるものとか、そういう判断で一回歯止めをかけてしまうと、自分がやるべきだと思った観察をしきる途中で終わってしまう。別の方向にずれていってしまう。制作するときに、良いとか悪いという判断基準を極力自分に対しても、人の作品についても使わないようにしているのは、そういう考えから来ています。極力別の言葉で言い換えたい。

「良し悪し」と「善し悪し」

千葉 「良し悪し」というのも、「良い／悪い」ではなくて、「善い／悪い」ということも重要ですよね。これはするけどこれはしないというような、自分のなかの倫理観ではないんだけれども、そういう意味での「善し悪し」というのは加藤さんのなかにきちんとあると思っていて。最初にお話ししたときに私のなかでは、そういう意味での善し悪しもあったんです。

加藤　自分がずっと善き行ないをできるかどうかは、なるべくいろいろな角度で自分の振る舞いを振り返りながら、自分が気付いた反省は何とかしたいと思います。向き合おうとするとすごく恥ずかしくなったりすることが、日常的にもそういうことってあるじゃないですか。

千葉　そうですね。でも基本的には反省的姿勢は強いわけですよね。制作の行為自体がやり方、システムというかそれ自体が反省的でもあるわけじゃないですか。辿るという。

加藤　振り返らざるをえないというか。振り返るときには、場合によっては後悔のようなことも含まれてくるし、希望もある。もっとこうしたら良くなるかもしれない、善き状態になるかもしれないとかそういうこともあって、反省的であることは自分にとってそんなに悪くないと思っています。振り返ることで「次はもっと」と思えるし、もっとこうしたら面白くできるかもとか、こんな視点が獲得できた、ということが、描くという一つのことをただ観察しているだけなのに、もっと埋まっているということに、やりながら気付くんです。気付いて、それが次の制作になっていったり、作品の展開になっていったりするということなのかなと思いますね。

点描における政治性

加藤　僕がミクロな筆致の中で意識するのは、筆致の一つひとつをなるべく独立した状態にして、筆をしっかり止めることをしていきたいということです。特に顕著なのは旗の形の作品〈To Declare (flag)〉(p. 42 / cat. no. 1)です。

千葉　そうですね。ここまで細かいというか、ここまでの精度でやってるのは初めて拝見したなと思って。しかも旗だし。

加藤　これはかなりそれをしっかり表明しようと思った作品で、独立的な筆跡が隣のものと混ぎり合わずに独立したまま隣り合う。

千葉　混ざるわけではなく、独立し、でも共存する。そういう描き方を選択していること自体もすごく、最初のところで言った政治的な態度にも結びつきますよね。政治的な態度というとあれなんだけど、物事に対する態度、何かを見るときの態度自体が、結局ある種の政治性も含んでいると思うんです。それがすごく現れている。

加藤　それこそ初めに千葉さんがおっしゃっていたような、点描における政治性が一番現れた作品です。というのはたとえばフェリックス・フェネオンの周辺とかポール・シニャックとか、そういうようなことですよね。

千葉　そうですね。あのあたりのいわゆるアナキストたちがあえて点描的表現を選び、色が独立し、でも連帯し、そこにある種の自由が確立されているという。フェネオンなんかもそういうところで新印象主義にすごくコミットしていたわけなので、それを加藤さんの描き方に少し重ねたところもあるんですけど。どういう描き方を選ぶかというのはやはり、一つの態度ではあると思うんです。

加藤　そうですね。たとえばテンペラではハッチングといって、線の集積で描いたり点描的に描いたりするのが定着方法としてテンペラの性能が活かすやすいんですけど、そういう技法的な都合だけではなくて、点描的に一個一個置いていくことは、そもそももとになっている

筆致の旗の形を再現しようと思ってやっているわけではないんです。再現するのではなくて、点描一つひとつを置く行為もまた、観察していく。その一個一個に実存があるというか、肉体を伴ってやっているというか、一個一個に人の動きがある。一つの点を打ったときの自分と、1秒後にその次の点を打ったときの自分がもしかしたら違っているかもしれない。そういうような自分だけど他者かもしれないというものが連続する、それでも集合して一つの形を形作るというようなこと。一個一個の行為が独立的であるけれど、それが混じり合わないまま共存するということを示すためには、筆を撫でないというか、ぼかしたりせずに、隣のものとなるべく独立した状態で筆を止める。そうすると描写的じゃなくなる、筆を立てざるをえないというか、そういうような意識がある。

千葉　全体の形態なり何か部分的な形態が先にあるわけではなく、点描の集積が結果的に形を形成する。

加藤　それを前面に出そうと思ったのが、〈To Declare (flag)〉です。宣言するというような、縦方向と横方向の二つの動きを観察することから成り立っているペインティングになっている。この作品なんかでも、実は白地にも点描をやっているんですけど。全体的に同じような仕事をしないと成立しないですよね。このあたりちょっとペインティングっぽい話になりますが、やらないと、視覚で見たときの画面に隔たりができるので、なるべく同等の仕事をすることも実はポイントなのかなと思います。

千葉　私の展覧会の加藤さんへの依頼に対する、ありがたい応答でもあります。

加藤　応答したわけではないんですけどね。

千葉　結果的になんですけどね。

加藤　一番初めに千葉さんにご依頼をいただいたときも、僕はあまり日々の仕事を展覧会に合わせて変えたりできないということはお話しした気がします。展示でできることはあるかもしれないですけど。だから自分の振る舞いを観察しているという面が出やすい作品を選び、かつ、鑑賞する方の動きにも少し意識がいくような展開で構成したのが今回の展示です。だから仕事自体は普段と変わっていないです。日々やることを変えられないというか。

展示の不思議

加藤　展示はやっぱり不思議だなと思ったりしたんですけど、今回はけっこう良いプロセスで展示ができたと僕自身は思っているんですよ。というのは、自分一人で展示作業をしていたら、たぶん違うコンポジションになっていただろうなと今になって思うんです。鑑賞者が入ったときに能動的に動いてもらいたいと考えて、ちょっとした「(展示が)決まっているけど、風通しが良い状態」を展示で作りたかったんですけど、どうしたら良いんだろうかと展示前に考えていました。それで考えた一つの方法が、自分が責任を持って展示の作業の道筋を作りながら、ある程度骨組みができた段階で千葉さんやaMにその時一緒にいてくださったスタッフの方々と合議制で組み立てていくことでした。ある程度自分で展示作業を進めつつ、「今こんな感じになっている」というのを、ご飯とかを一緒に食べたりしながら、展示途中の状態をふわーっと眺めながら考えていく感じで。一

番初めに基準としてアイレベルを作るんですけど、基準がありながらそこにいる人たちで遊ぶというか。

千葉 けっこう現場で話しながらいくつか変更させてもらって、私も面白かったんです。大きく変わったのは、本当は3点展示する予定だった壁が、《Macaroni o1》1点になったこと。

加藤 この作品1点で言えるなと思って。

千葉 本当は3点だったのを、かなり小さい《Macaroni o1》を1点だけそこに置くということに変更して。

加藤 位置もこれ壁面の左右センターじゃないですか、柱があったとしても。空間を一緒にみんなで動いたりして、みんなでイメージしながら見ているから、真ん中じゃなくてこの位置のほうがしっくりくるというか、気持ちいいなと。現場ではそんなこと言葉で考えてなくて、「このへんだと思う」「そうそう」となるんですよね。そういう感じで決まっていった。もう一つ不思議だと思ったのが、《Fossilised Scenery o3》を展示した位置が、前の展示で高柳恵里さんがハンカチをかけていた釘の穴と同じ場所だったことです。千葉さんに言われて気付いたんですけど。

千葉 加藤さんの前に展示していた高柳さんがハンカチを使った作品を壁に釘で打っていたんですけど、まさにそれとドンピシャぐらいの位置だったんです。

加藤 だから、空間自体から導き出される位置があるというか。判断はしているんでしょうけど、その時には言葉になっていなくても、「このへんだと思う」というのがなぜか一致してしまって。それは造形的な癖があるからなのか、作る人に共通する何かがあるのか。これはちょっと今うまく言葉にできないんですけど、展示しながらこういうことを不思議だなと思います。

「面白い」の先へ

千葉 でもその時って加藤さんだけじゃなくて、私なんかも「この位置なんじゃない?」という感じだったんです。だから実際に目には見えてないけど、何かしら空間の中の関係性が実際にはやっぱりあって、そこに導かれているのかなという気もします。そこはどう実証できるのかわかりませんし、測ってみたら実際あるのかもしれないけど、何かそういうことが、それこそ個人の判断を超えた可能性のようなものをちょっと秘めていて、面白い部分でもあるなと思ったんです。

加藤 これは「面白い」で終わらせずに考えたいですよね。というのは、「面白い」だけで終わると、「このあたりだよね」「うんうん、そうだよね」というインナーサークルで閉じてしまうことがあるから。

千葉 測ってみたりしたら、空間の中のこれとこれとの関係の関数によって心地良いとか、この場所がベストだろうというのがやっぱり導き出される、ということが起こっているかもしれない。だから何かそういうのを測ってみるといいのかもしれない。

加藤 こういう展示作業は、一人ではなくて複数人かつコミュニケーションも円滑に行なう必要はあると思うんですが、でもみなさん個々に別の仕事をしていましたよね。千葉さんも別の仕事をしたり

していて。そのなかで、ここは集合しましょう、で、また解散してまた考えるというかたちで、何回も段階を踏んで最後まで調整できたことが、展示の風通しを良くしているかなと思いました。だからそういうふうにコミュニケーションできたのは、千葉さんだけではなくてαMのその時手伝ってくださった皆さんもいたから、本当に気持ちよくやれたという実感があります。もう一つ、昨日の夜展示の写真を見ていて気付いたんですけど、さっき話した植物を描いた水彩を切り取って描いた作品《2 touches》を展示した場所も、高柳さんの剪定鋏と植物の作品が展示されていた空間に重なるといえば重なる。これも余談ですけど。

千葉 何か導かれるものがあるのでしょうか。でも高柳さんの展示を見ていたことが、実は潜在的に残っていたりするかもしれない。そこはちょっとわからない。

加藤 でもこれは潜在的すぎますかね、昨日気付きましたから。そういう、展示すると現れてくる不思議さがあるからこそ、「面白い」で止めずに、やっぱり一歩踏み込みたいですね。そういうふうにして引き継いでいきたい部分があるなと、展示のなかで不思議さに出会うとあらためて思いますね。

千葉 そこを丁寧に言葉にするなり、難しいけれどもなんとか形にして言葉にしていくことをしていけば、それこそ判断するための尺度が豊かになるのではないかなとも思います。

1　《To Declare (flag)》
2022年
顔料、卵黄、アクリル樹脂、二水石膏、兎膠、亜麻布、木材
45 × 104.5 cm

2　《To Paint (synapse)》
2022年
顔料、卵黄、アクリル樹脂、二水石膏、兎膠、綿布、木材
42 × 29.7 cm

3　《To Stipple (geography)》
2022年
顔料、卵黄、アクリル樹脂、二水石膏、兎膠、綿布、木材
42 × 29.7 cm

4　《To Paint (mesh)》
2022年
顔料、卵黄、アクリル樹脂、二水石膏、兎膠、綿布、木材
42 × 29.7 cm

5　《To Paint (fire)》
2022年
顔料、卵黄、アクリル樹脂、二水石膏、兎膠、亜麻布、木材
50.2 × 33.87 cm

6　《To Paint (barbed wire) 01》
2022年
顔料、卵黄、アクリル樹脂、二水石膏、兎膠、亜麻布、木材
60 × 90 cm

7　《Stroke 02》
2018年
顔料、卵黄、乾性油、グリセリン、アクリル樹脂、二水石膏、
兎膠、亜麻布、木材
20 × 183 cm

8　《To Play (octopus)》
2022年
顔料、卵黄、アクリル樹脂、二水石膏、兎膠、亜麻布、木材
90 × 60cm

9　《Macaroni 01》
2019年
顔料、漆喰、牡蠣殻、セラミックパウダー、FRP、木材
21 × 15 cm

10　《Ladder 01》
2018年
顔料、卵黄、乾性油、グリセリン、アクリル樹脂、二水石膏、
兎膠、亜麻布、木材
183 × 20 cm

11　《Ladder 02》
2018年
顔料、卵黄、乾性油、グリセリン、アクリル樹脂、二水石膏、兎膠、亜麻布、
木材
183 × 20 cm

12　《Fossilised Scenery 03》
2021年
顔料、アクリル樹脂 (Paraloid™B-72)、水性樹脂 (Jesmonite®AC100)、木材
26.8 × 39 cm

13　《Soil Layer》
2021年
顔料、カゼイン、アクリル樹脂 (Paraloid™B-72)、水性樹脂 (Jesmonite®
AC100)、木材、アルミ材
120 × 35 cm

14　《2 touches》
2010年
顔料、卵黄、アクリル樹脂、パラフィン、二水石膏、兎膠、亜麻布、木材
27 × 35.2 cm

15　《Cave (Tanigumi | Mummification)》
2021年
顔料、カゼイン、水性樹脂 (Jesmonite®AC100)、木材
91 × 88 cm

Exhibited Works

1   *To Declare (flag)*
    2022
    Pigment, egg yolk, acrylic resin, gypsum, rabbit skin glue,
    linen, and wood
    45 × 104.5 cm
    —

2   *To Paint (synapse)*
    2022
    Pigment, egg yolk, acrylic resin, gypsum, rabbit skin glue,
    cotton, and wood
    42 × 29.7 cm
    —

3   *To Stipple (geography)*
    2022
    Pigment, egg yolk, acrylic resin, gypsum, rabbit skin glue,
    cotton, and wood
    42 × 29.7 cm
    —

4   *To Paint (mesh)*
    2022
    Pigment, egg yolk, acrylic resin, gypsum, rabbit skin glue,
    cotton, and wood
    42 × 29.7 cm
    —

5   *To Paint (fire)*
    2022
    Pigment, egg yolk, acrylic resin, gypsum, rabbit skin glue,
    linen, and wood
    50.2 × 33.87 cm
    —

6   *To Paint (barbed wire) 01*
    2022
    Pigment, egg yolk, acrylic resin, gypsum, rabbit skin glue, linen,
    and wood
    60 × 90 cm
    —

7   *Stroke 02*
    2018
    Pigment, egg yolk, drying oil, glycerin, acrylic resin, gypsum,
    rabbit skin glue, linen, and wood
    20 × 183 cm
    —

8   *To Play (octopus)*
    2022
    Pigment, egg yolk, acrylic resin, gypsum, rabbit skin glue, linen,
    and wood
    90 × 60 cm
    —

9   *Macaroni 01*
    2019
    Pigment, stucco, oyster shell powder, ceramic powder, FRP,
    and wood
    21 × 15 cm
    —

10 *Ladder 01*
    2018
    Pigment, egg yolk, drying oil, glycerin, acrylic resin, gypsum,
    rabbit skin glue, linen, and wood
    183 × 20 cm
    —

11 *Ladder 02*
    2018
    Pigment, egg yolk, drying oil, glycerin, acrylic resin, gypsum,
    rabbit skin glue, linen, and wood
    183 × 20 cm
    —

12 *Fossilised Scenery 03*
    2021
    Pigment, acrylic resin (Paraloid™ B-72), water-based resin
    (Jesmonite® AC100), and wood
    26.8 × 39 cm
    —

13 *Soil Layer*
    2021
    Pigment, casein, acrylic resin (Paraloid™ B-72), water-based
    resin (Jesmonite® AC100), wood, and aluminum
    120 × 35 cm
    —

14 *2 touches*
    2010
    Pigment, egg yolk, acrylic resin, paraffin, gypsum,
    rabbit skin glue, linen, and wood
    27 × 35.2 cm
    —

15 *Cave (Tanigumi | Mummification)*
    2021
    Pigment, casein, water-based resin (Jesmonite® AC100),
    and wood
    91 × 88 cm
    —

素材の政治、態度の政治

実験的な試みのうちに楽しみと発見があり、しかし、できたものを作品として出すかどうかに制御がある。あたり前といえばそれまでなのだが、加藤においては、実はかなり作品の振り幅が大きいから、過去作を含む本展の構成には、「判断の尺度」というテーマへの真っ直ぐな応答を感じる。つまり、自身の態度を示唆するような作品が際立っているのである。

とりわけ象徴的なのは、会場入り口右手に掛けられた《Soil Layer》と正面の《To Declare (flag)》だろう。前者は、顔料の歴史を「絵画」誕生以前に遡り、土などの最も原初的な素材から近代以降の合成顔料や最近の新素材までを時間の堆積として、まさに「地層」のごとく下から順に積み重ねた作品で、真っ先に展示を決めたものである。

顔料には様々な情報が詰まっている。顔料から制作年代や制作場所の検証ができるし、顔料にはまた、国家や地域間の交流と侵犯の歴史、あるいは科学技術の発展と人々の趣味嗜好の移り変わりが反映されている。いってみれば、ニュートラルなものではあり得ず、実に深く社会性、政治性を帯びている。だから、制作と不可分に顔料などの材料研究に取り組んできた加藤にとって、このような作品を展示することの背後にはそれ相応の視座と意思があるといっていいのではないか。

一方、後者の《To Declare》は、これまでの作品のなかでも点描表現が際立っている。

自身の描いたドローイングの線や形に基づいて制作される加藤の作品は、描くという行為自体を分節的な筆致によって逐次、再解釈したものであり、そこには、自分の動きさえも自分に属さないものとして、個々の独立したものとして把握しようとする姿勢が認められる。こうしてできあがった加藤の作品においては、混色のない個別の色が保証され、個々が溶解して見分けがつかなくなるということがない。この描写方法を極度に押し進めた本作に、19世紀末フランスにおけるスーラやシニャックら新印象主義の画家たちによる点描画の実践を重ねることはあながち間違いではないのではないか。シュヴルールの色彩論に基づいて人間の視覚を解放し、個々の事物を均質な色点の配置によって把握・構成しようとした彼らはまた、アナキズムにコミットしたことでも知られる。直截的ではないにせよ、絵画に対する態度＝世界に対する態度を見る限り、加藤をその彼らの系譜に連ねることは可能だろう。本作のタイトル「宣言（旗）」はその表明ともいえる。

象徴的な二作品に加え、広い壁にぽつりと一つ展示された《Macaroni 01》が存在感を放つ。当初展示する予定だった3点に代わり、現場で選ばれた本作は、粘土質の表面に指を擦りつけて描く洞窟壁画のマカロニ図法に倣った同シリーズの、最初の、基準作というべき作品である。そして、水平軸をなす《Stroke 02》と垂直軸をなす《Ladder 01》

《Ladder 02》が空間を秩序づける。

冒頭で触れたように、真っ直ぐな意思を感じる展示である。そして、そのなかにあって、《Fossilised Scenery 03》や《To Play (octopus)》など、作品の端々に加藤の「遊び」が垣間見えると最後に加えておこう。一つの方法に収斂することなく、様々な技法や描写を試みる。とはいえ、この自己を解放する実験的精神自体にもまた、事物を独立に、水平的に扱おうとする加藤の志向が表れているといえるのではないか。そこに腹の座った政治的態度を認めることだってできるのである。

千葉真智子

Politics of Materials, Politics of Attitude

There is enjoyment and discovery in experimentation, yet there is control over whether one presents that which is conceived as a work of art. While this may simply be stating the obvious, since Kato's oeuvre is rather diverse, the contents of this exhibition, which include selections from his past works, feel like a direct response to the theme of "something that defines my judgment." In other words, works that show his own attitude seem to figure prominently.

Especially symbolic are the works *Soil Layer* presented to the right side of the gallery entrance, and *To Declare (flag)* which comes directly into view when walking into the space. The former is a work that traces the history of pigments back to times prior to the birth of "painting." Here, pigments are layered one on top of the other from the bottom up like a "stratum," starting with the most primitive materials such as soil to synthetic pigments and recent new materials used since the modern era, denoting the accumulation of time.

Pigments contain a variety of information. Pigments can be used to verify the date and place of production, and they also reflect the history of exchange and invasion between nations and regions, or the development of science and technology, as well as changes in people's tastes and preferences. In other words, it cannot be neutral, and is instead deeply social and political. Therefore, it is fair to say that Kato, who has engaged in the research of pigments and other materials as an integral part of his practice, has the appropriate perspective and intention behind exhibiting this kind of work.

On the other hand, the latter work, *To Declare*, stands out among his previous works for its pointillist expression. Kato's works, which are based on the lines and shapes of his own drawings, attempt to sequentially reinterpret the act of drawing itself through means of segmented brush strokes. What is observed in these works is his attitude of trying to perceive even one's own movements as something that does not belong to oneself, but rather, as independent entities. In Kato's works that have been conceived in this manner, individual colors are guaranteed without mixture, and there is no chance for each to dissolve and become indistinguishable from one another. One would perhaps not be mistaken to compare this work, which pushes this method of depiction to the extreme, with the practice of pointillism pursued by neo-impressionist painters such as Seurat and Signac in late 19th-century France. Such artists, who based on Chevreul's theories of color, sought to liberate human vision, and perceive and compose individual objects through the arrangement of homogeneous dots of color, are also known for their commitment to anarchism. Although there doesn't seem to be any direct connection, it is still possible to facilitate links between Kato and their lineage as far as his attitude toward painting is concerned—that is, his attitude toward the world. The title of the work, *To Declare (flag)*, could be considered as an assertion of this.

In addition to these two iconic works, *Macaroni 01*, displayed on its own against a large wall, has a strong and remarkable presence. This work, selected on site in place of the three that were originally scheduled to be exhibited, is the first and canonical work of the eponymous series that follows the macaroni (finger fluting) method used in cave painting, in which lines are drawn by rubbing one's fingers against a clay surface. The works *Stroke 02* and *Ladder 01*, and *Ladder 02* which respectively constitute the horizontal and the vertical axis, serve to instill the space with a sense of order.

As mentioned at the outset, it is an exhibition that evokes a straightforward intention. Finally, one would like to add that Kato's sense of "play" can be observed here and there throughout his works, including the likes of *Fossilised Scenery* and *To Play (octopus)*. Rather than converging on a single method, he experiments with a variety of techniques and depictions. Nevertheless, it can also be said that this experimental spirit of self-liberation itself also reflects Kato's desire to treat things independently and horizontally. Here, it is even possible to discern the artist's fearless political attitude.

Machiko Chiba

外部の招喚：受信機＝トリガーとしての作品

蝉が鳴き始めたときに初めて、それまでのシンとした無音を思い知る。

機械音がおさまったときに初めて、耳を圧迫するように低音が鳴り響いていたことに気づく。

私たちは常に外部に晒されていて、そのちょっとした外部の変化がトリガーとなって、感覚のスイッチは切り替わる。

「切り替える」ことなく「切り替わる」。

風景が、世界が、新鮮に発見される。

　　「ほんの少しのエピソードの種」を、最近の僕は広義のサウンドトラックの1つと捉えている。……それは音のないサウンドトラックのようなものであり、何らかの「開かれ」のトリガーとして機能する。

　　（荒木優光『「大声で叫びながら自転車に乗っている人」というサウンドトラック（世代を超えて）』『霧の街のポリフォニー』京都市立芸術大学、2022年、p. 42）

音の場を立ち上げようとする荒木さんは、彼自身が受信機のように外部に開かれているのではないか。だからその作品は、外部との交渉の結果であり、外部との接触面としてある、と言えるかもしれない。

さて、仮にも作品というものが私を超えて共有され、何がしかの良さを持ち得るのだとすれば、そこには必ず、私以外の他者、外部の了解が成立していることになる。作品を作るとは、大袈裟に言えば、その判断を私以外のものに賭けることであり、いまここを超えた時間・空間にいる人や事物を考慮し、作品を判断しようとする態度だとも言える。私を超えたそのような賭けは可能だろうか。

制作する私が否応なく外部を感受するように、作品も否応なく他者に感受されるものとしてある。

トリガーとしての作品。

私は私の外側にあるものとどのように付き合い、判断を重ねていくことができるのだろうか。

千葉真智子

It is only when the cicadas start crying that one is made aware of the stillness and silence that permeated the space until then. Only when the mechanical noise subsides does one notices the presence of the low-pitched sound that had reverberated as if pressing on one's ears. We are constantly exposed to the outside world, and any slightest change in it triggers the switching of our senses. This switch is not something that we implement intentionally, but is something that occurs by way of nature. It is that which enables us to encounter scenes and landscapes afresh.

Recently, I consider even the "smallest incentive for narratives" as a soundtrack in the broader sense. […] They could be described as soundtracks without sound, which act as a trigger to induce some kind of "opening."

(Masamitsu Araki, "The Soundtrack of 'People Riding Bicycles While Yelling at the Top of Their Lungs' [Across Generations]," *Polyphony in the City of Fog*, Kyoto City University of Arts, 2022, p. 42)

Araki, who attempts to create acoustical spaces, is perhaps open to the outside world as if he himself were some form of reception device. In this sense, his works could be regarded as the results of his negotiations with the outside world, and exist as the boundary, or very surface that comes into contact with it.

If a work of art is to be shared beyond oneself and harbor some sense of goodness, it is presumably understood and accepted by someone other than oneself who is on the outside. To put it in an exaggerated way, to create a work of art is to entrust its judgment on someone other than oneself, and could also be described as an attitude of trying to judge a work of art by taking into account people and things in time and space that transcend the here and now. Is this kind of investment beyond oneself indeed possible?

In the same way that the creator cannot help but be affected by the outside world, a work of art is also something that is perceived by others whether intended or not. Artworks that serve as a trigger. How can one engage with the things that lie outside of oneself, and continue to exercise one's judgment?

Machiko Chiba

荒木優光「そよ風のような、出会い」

「木村くん」または、「あんた誰？」のためのサウンドトラック

ある距離を持った出会い。そして、出会い直し。スマートフォンやSNSを通して垣間見る出来事や、人のこと。そこへ、サウンドトラックを付けてみようと思ったのは、2022年6月の半ば。そんな折に、絶妙な距離感を保ったまま必然のように出会い直したのが、「木村くん」だった。

誰かさんから誰かさんへ、そよ風のようなメッセージの集積としてのサウンドトラック。距離感抜群 God hand you。

———

作品準備の期間というのは、制作モードアドレナリンが分泌しているとでもいうような、フィルターがかかったような状態になる。日常でもそうだが、よりあらゆる物事に過敏に意識がいく。普段は素通りするようなことがその分泌状態だと妙にこちらに響いてくるというか、スッと入ってきたりする。それらを、今回は「出会い」と呼んでみている。それがスマートフォン越しだとすれば、何より元首相の安倍晋三が銃殺された事件。現場で撮影された動画と炸裂音をネットやSNSを通して遠くの街で眺める体験は、なんとも言語化しづらい。そして進行中の戦争のこと。これらに直接的に呼応するようなことはまだ出来ないとしても、図らずも（ある程度は図ったように）超間接的に呼応することにもなったと思う。

そんなこんなで、日々、ネット上に溢れるさまざまな出来事と、僕なりの距離感で出会っている。今、このテキストを読んでいる人も、そうだろうと思う。熊のニュースを見ない日はないし、干ばつのニュースもひっきりなし。アーバンベア？とにかく今、日本は熱いが、世界も熱い？干上がった湖？から大量の死体???が出てきた?、干上がった川？から爆弾を積んだ軍艦???が出てきた?、恐竜???の足跡?が出てきた?、今ヨーロッパでクーラー設置業大変?（儲かる?）、などなど。これらの「？」もまた距離感。

そんなこんなであらゆる出会いを体験する中で、「生の影」というキーワードが浮上してきた。死の影、はよく聞く言葉だが、その対義語といったところか。上手く説明できないが、上に記載しているプランニング時のテキストに沿って語るならば、ネット上やSNS上での情報との出会いと距離感を、生の影と言えるような気が今はしている。

もう一つ、この作品の準備中にお盆の期間を通るというのもなかなか良いタイミングで、よき出会いがあった。ある友人が東北旅行に訪れた際に、山間部を車で走らせ、秋田の西馬音盆踊りを見学した感覚をTwitterに綴った言葉がある。

作品準備中の感覚にタイムリーに響いてくるものがあり、これもまたよき出会いを感じた機会の一つだったので記しておく。

久しぶりに行った東北は面白かった。
温泉はいいし、食べ物はおいしいし、人懐こいおじさんは親切だし。
西馬音内盆踊りをみて、死の影の強さ、生と死の距離の近さがものすごいインスピレーションを与えてくれる。
阿波踊りは踊りのクオリティーの方に特化してショー的になっているけれど、西馬音内の場合には笠にしても頭巾にしても顔をみせない、ライトもぼんやり「本来はかがり火なんだろう」で、生きている人も、死人も入り混じって踊っている感じがする。
あの匿名性と死の世界へ開いている感じは独特。
東北地方は飢饉の歴史もあるし死との距離が近いのかも。
一方で、山間部の放棄地の多さや、古びた温泉街の活気のなさなど、人間が後退して自然に飲み込まれていってしまう感じがした。
東北に感じるさみしさは独特で、僕には居心地がよかった。
福島〜宮城〜秋田と車で旅をしたのだが、耕作放棄地の量が想像以上だった。平野部では少ないけれど、山間部では耕作されなくなって3年くらいの田んぼが目立った。機械の入れない地方の山間部はもう維持できなくなっているのかも。

僕は山形県の上山市という温泉街生まれでそこで育ったのだが、露天風呂でビッグマックセットを食べていたような青春時代にふと感じていた感覚や、加齢を重ね帰省するごとに感じるようになった感覚を見事に言語化しているようにも感じられた。

———

とはいえ、生の影、とか言ってはいるが、とにかくこの場には何らかの「木村くん」がいる。そうして「木村くん」を楽しんでもらえたとして、かつ帰りにスマホを見たりするのでしょう。その時に、この場を少しでも思い出したりしたら、それは僕にとって最高だ。そのまま、眼前に広がる景色や知らない人を、ただぼんやりと見つめてみたらいいと思う。

———

設営アドレナリンが分泌した状況での執筆。

8/26 AM 2:58

荒木優光

Note no.1, Drifting Like a Gentle Breeze

Soundtrack for "Kimura-kun," or "Who Are You?"

Encounters at a certain distance, and then reencounters. Events and people that I catch sight of through my smartphone and social media. It was in the middle of June 2022 that I decided to try adding a soundtrack to this. Who I came to reencounter at this time as if by necessity, while maintaining a perfect sense of distance, was "Kimura-kun."

A soundtrack that manifests as a collection of messages from one person to another, drifting gently like a breeze. An excellent sense of distance, *God hand you.*

—

During the preparation period for my work, I always find myself under the influence of a filter, as if going through a production mode adrenaline rush. As is the case in my daily life, I become increasingly hyper-sensitive to everything. When I'm in this roused state, things that I would normally pass by and take no notice of strangely resonate with me, or rather, directly come into my mind. I would like to refer to these as "encounters."

One of such encounters through my smartphone was the incident in which former Prime Minister Shinzo Abe was shot to death. The experience of watching videos and listening to the sounds of the explosion shot at the scene in some distant city through the internet and social media, is indeed something that is quite difficult to put into words. Then, there is the on-going war. Even if I am yet unable to do anything that directly responds to these things, I feel that unintentionally (or perhaps to a certain extent by choice) I have come to respond to them in a highly indirect manner.

In this way, every day I encounter various events that flood the internet from my own perspective and sense of distance. I suspect the same is true for anyone reading this text right now. Not a day goes by that I don't see reports about rogue bears, and droughts are also constantly being mentioned in the news. Urban bears? Japan is experiencing a heat wave right now, but so is the rest of the world? Lots of dead bodies??? Have be found? From a dried-up lake? A warship loaded with bombs???

Was found? In a dried-up lake? Dinosaur??? Footprints? Were found? Businesses in Europe involved in the installation of air-conditioning are thriving right now? (profitable?) and so forth. These "?" also reflect a sense of distance.

What emerged as a key phrase while experiencing all these encounters, was "shadows of life." Perhaps it could be regarded as an antonym for the term "shadows of death," which we hear often. I can't explain it well, but if I were to describe it according to the above text that I wrote while planning my work, I now feel that the encounter with and distance from information found on the internet and social media could be defined as shadows of life.

Another thing I must mention, is that I had a wonderful encounter at the perfect timing when I was preparing this work during the Obon period. A friend of mine wrote on Twitter about the feelings he had experienced when driving through the mountains and witnessing the Nishimonai Bon Odori in Akita during his visit to the Tohoku region. There was something that resonated with me in a timely manner as I was preparing my work, and I would like to introduce what he wrote as I feel it was one of such occasions when I felt like I had experienced a good encounter.

—

I visited Tohoku for the first time in a while and it was interesting.

The hot springs were nice, the food was delicious, and the old local men were very kind and friendly.

The strength of the shadows of death and the proximity between life and death that I felt while watching the Nishimonai Bon Odori had inspired me tremendously. While Awa Odori is more show-like, focusing on the quality of the dance itself, in the case of Nishimonai, the dancers' faces are concealed either through hats or hoods, and the lights are dimmed (one suspects they were originally bonfires), giving the impression of both the living and dead dancing together.

That sense of anonymity and openness to the world of death is truly unique.

Perhaps death feels closer to the people of the Tohoku region due to its history of famine.

On the other hand, the abundance of abandoned land in the mountains and the lack of vitality in the old hot spring towns gave me the feeling that people were retreating and being swallowed up by nature.
The loneliness I felt in Tohoku was unique and it instilled me with a sense of comfort.
I traveled by car from Fukushima to Miyagi to Akita, and the amount of abandoned farmland was more than I had imagined. There were few in the plains, but in the mountainous areas, there were many rice fields that seemed as if they had been uncultivated for about three years. In rural mountainous areas where machinery cannot be used, it is perhaps no longer possible to maintain the land.

—

I was born and raised in a hot spring town called Kaminoyama City in Yamagata Prefecture.
Reading his text, I felt as if he had successfully verbalized the sensations I had felt in my youth when used to eat Big Mac sets in an open-air bath, as well as the sensations I have come to feel through age every time I return to my hometown.
In any case, although I mention the phrase "shadows of life," some form of "Kimura-kun" is indeed present in this space. Viewers who may have enjoyed encountering "Kimura-kun," would likely be scrolling through their smartphones on their way home. Nothing would make me happier if during that time they can remember this place, even if only just a little. It would be wonderful if people could just gaze blankly at the scenery that extends before their eyes and people they don't know.

Written in an adrenaline-fueled state while setting up the exhibition.
8/26 AM 2:58

Masamitsu Araki

そよ風のような、出会い

「木村くん」または、「あんた誰?」のためのサウンドトラック

ある距離を持った出会い。そして、出会い直し。スマートフォンやSNSを通して垣間見る出来事や、人のこと。そこへ、サウンドトラックを付けてみようと思ったのが、2022年6月の半ば。そんな折に、絶妙な距離感を保ったまま必然のように出会い直したのが、「木村くん」だった。
誰かさんから誰かさんへ、そよ風のようなメッセージの集積としてのサウンドトラック。距離感抜群 *God hand you*。

荒木優光

The Breeze and You

Soundtrack for "Kimura-kun," or "Who Are You?"

An encounter that maintains a certain sense of distance. And then, a re-encounter. In mid-June of 2022 that I decided to create a soundtrack to accompany the various events and people I had caught a glimpse of through my smartphone and SNS. "Kimura-kun" was someone who I had inevitably re-encountered at this time, while maintaining an optimal distance.
A soundtrack as a collection of messages from someone to someone, like a breeze.
Just the perfect sense of distance. *God hand you*.

Masamitsu Araki

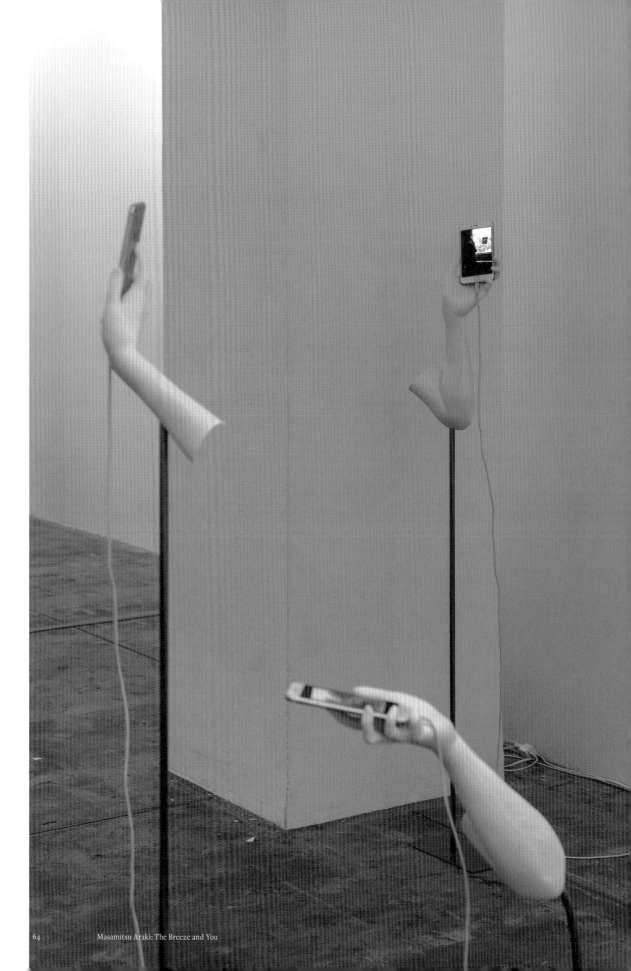

そよ風のような、出会い
The Breeze and You

Masamitsu
Araki

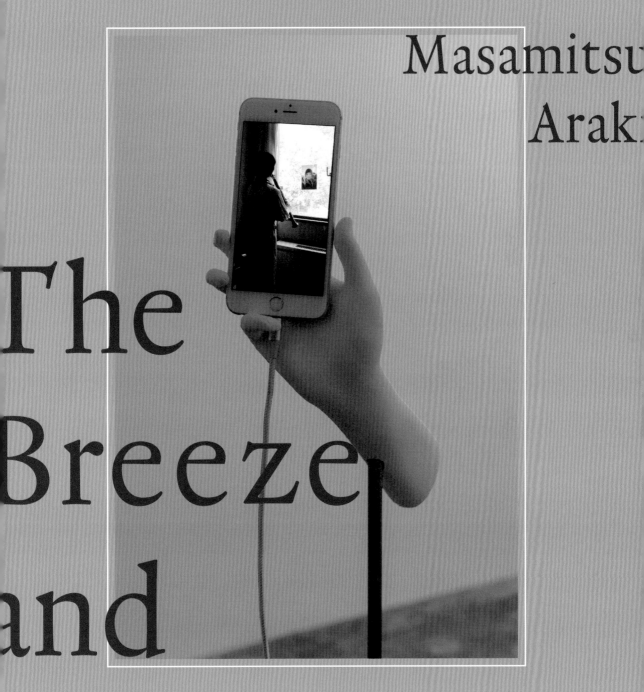

The
Breeze
and
You

荒木優光
Masamitsu Araki

Have something that defines my judgment

Masamitsu Araki: The Breeze and You

作品リスト	Exhibited Works

<table>
<tr><td>1</td><td>《ミンドゥル Mindulle》
2022年｜サウンド、スマートフォン、PLA樹脂、鉄</td></tr>
<tr><td>2</td><td>《God Hand You !》
2022年｜タオル、ハンディ扇風機、PLA樹脂、鉄</td></tr>
<tr><td>3</td><td>《バビンカ Bebinca》
2022年｜HDヴィデオ、サウンド、スマートフォン、PLA樹脂、鉄</td></tr>
<tr><td>4</td><td>《ウーコン Wukong》
2022年｜HDヴィデオ、サウンド、スマートフォン、PLA樹脂、鉄</td></tr>
<tr><td>5</td><td>《メーカラー Mekkhala》
2022年｜HDヴィデオ、サウンド、スマートフォン、PLA樹脂、鉄</td></tr>
<tr><td>6</td><td>《ネ・サット Nesat》
2022年｜HDヴィデオ、サウンド、スマートフォン、PLA樹脂、鉄</td></tr>
<tr><td>7</td><td>《シマロン Cimaron》
2022年｜HDヴィデオ、サウンド、スマートフォン、PLA樹脂、鉄</td></tr>
<tr><td>8</td><td>《メアリー Meari》
2022年｜HDヴィデオ、サウンド、スマートフォン、PLA樹脂、鉄</td></tr>
<tr><td>9</td><td>《タリム Talim》
2022年｜HDヴィデオ、サウンド、スマートフォン、PLA樹脂、鉄</td></tr>
<tr><td>10</td><td>《チョーイワン Choi-wan》
2022年｜HDヴィデオ、サウンド、スマートフォン、PLA樹脂、鉄</td></tr>
<tr><td>11</td><td>《インファ In-fa》
2022年｜HDヴィデオ、サウンド、スマートフォン、PLA樹脂、鉄</td></tr>
<tr><td>12</td><td>《ナンマドル Nanmadol》
2022年｜HDヴィデオ、サウンド、スマートフォン、PLA樹脂、鉄</td></tr>
<tr><td>13</td><td>《ダナス Danas》
2022年｜HDヴィデオ、サウンド、スマートフォン、PLA樹脂、鉄</td></tr>
<tr><td>14</td><td>《オーマイス Omais》
2022年｜モデル、サウンド、スマートフォン、PLA樹脂、鉄、木材</td></tr>
</table>

*1–14: 全てサイズ可変

---

1. *Mindulle*
2022 | Sound, smartphone, PLA resin, and iron

2. *God Hand You !*
2022 | Towel, portable fan, PLA resin, and iron

3. *Bebinca*
2022 | HD video, sound, smartphone, PLA resin, and iron

4. *Wukong*
2022 | HD video, sound, smartphone, PLA resin, and iron

5. *Mekkhala*
2022 | HD video, sound, smartphone, PLA resin, and iron

6. *Nesat*
2022 | HD video, sound, smartphone, PLA resin, and iron

7. *Cimaron*
2022 | HD video, sound, smartphone, PLA resin, and iron

8. *Meari*
2022 | HD video, sound, smartphone, PLA resin, and iron

9. *Talim*
2022 | HD video, sound, smartphone, PLA resin, and iron

10. *Choi-wan*
2022 | HD video, sound, smartphone, PLA resin, and iron

11. *In-fa*
2022 | HD video, sound, smartphone, PLA resin, and iron

12. *Nanmadol*
2022 | HD video, sound, smartphone, PLA resin, and iron

13. *Danas*
2022 | HD video, sound, smartphone, PLA resin, and iron

14. *Omais*
2022 | Model, sound, smartphone, PLA resin, iron, and wood

*1–14: All works are dimensions variable.

千葉　この会場でパフォーマンスや作品を体験していただいた通り、荒木さんは音に特化した制作をされています。この「判断の尺度」の企画に際していろいろと考えていったときに、作品を作るにしても、作る前の段階で何かを感じるにしても、感じるという言葉がすでに象徴しているように、絶対に外部から何かの影響を受けてしまうことは避けられない。そういうなかでどのように自分を定めていくか。何かを作るなり、何かを選択するなかで、他人からの影響をどういうふうに受け止めるなり、あえて受け取らないなりするかということを考えたいと思っていました。音を扱っている荒木さんが、一番この問題にフィットするのではないかと思って、今回お願いをして展示していただいたという経緯です。

　荒木さんはよく音の場を作るということをおっしゃっていると思うんですけど、今回も会場にはいろいろな音が配置されていて、それが必ずしも合唱のように共鳴するわけでもなく、それぞれがシンクロしているのかしていないのかもはっきりとはわからない。でも不協和音というわけでもない。そういうことによってこの空間自体が作られていると思うんです。

　今回はあえてスマートフォンを使って、こういう配置によって作品を作り上げ、さらに本日はパフォーマンスも披露してくださいましたが、全体を通して、「木村くん」という一人の人物をモチーフとして設定するということを考えられた。私の問いかけに対して、こういう設定で応えると決めていったプロセスについて、教えていただけますか。

「木村くん」との出会い直し

荒木　最初に千葉さんからメールいただいたときに、今考えていることについての長文のテキストをいただいたんですよ。今回の企画で考えていること、その意思はそこに書いてあるからという感じで、僕に声をかけていただいた。なのでひとまずそれを読むことから始めようと思ったんです。なるべくゼロにして、いただいたテキストから出てきたものを汲み取っていって、このαMという場所との対話のうえで、どうするかを考えたのが、最初でした。

　そのなかで最初に思ったのは、いわゆる「大いなる力」を使わないということです。大きい映像を一面に映すとか、大きい音が鳴っているというような。音圧とか音量によってすごいと感じてしまうような。面白いかわからないけど、何か誤魔化しがきく部分というか、そういうものを排除して、いったん小さいところから扱おうと考えていくなかで、スマホを思い付いたという経緯があります。

千葉　最初にメールやテキストの中にも、「正しさ」のことを書いたような気がします。物事の判断をするときに、平等性や正しさを謳うと、ともするとその声はとても強く、大きくなってしまう。何かそうではないことができないか。むしろどうしたらそこから逃走できるか。ということを荒木さんとはお話しさせていただいて、それを受けて荒木さんのなかで今回の選択が出てきたということなんですね。

荒木　「とりあえずスマホで何かやろう」と。そこから具体的に何をしようかと考えていて、最初はスマートスピーカーを会話させるような、「ダメなメディアアート」のようなものを試作していたんです。でも「いったいこれ、何をしているんだろう?」と完全にモチベーションがわからなくなっ

ていた。そこで「スマホって何だろう」と立ち戻って単純に考えていたときに、距離感と出会いというキーワードが出てきました。テキストにもちょっと書いているんですけど、人や出来事と実際に体験はしていなくても、スマホを介して出会うことがありますよね。ニュースやSNSで、久々に高校の友達と出会ってしまったりとか。でもそれをきっかけにまた交流するわけでもなく、ただ一方的に覗き見ていたりする。

千葉　そういうこと、ありますね。その時に自分がどのような振る舞いをするかはけっこう微妙だなと、いつも思うんですけど。

荒木　「連絡しようかな……いやどうかな」というような。今回、そういうことをテーマにするのであればやれるという感覚がありました。そこからスマホを使って、距離感をテーマに考えていって、じゃあそこにサウンドトラックを付けようという思考の流れでした。それとは別のベクトルで、展示会場にパフォーマーがやって来るというようなことをしたいという漠然とした思いはありました。そんな時に東京の知人に相談していたら、「木村が東京いるらしいっすよ」と言っていて、それをきっかけに、木村くんに声をかけてみようと思って、木村くんが出てきたんです。

千葉　もう10年以上、会っていなかったんですよね。

荒木　そうです。一応昔の知人ではあるんですけど、ずっと仲良しでよく会っているとか、何かやり取りをしていたという関係ではなくて。誰しもそういう相手がいますよね。昔はつながりがあって、今は距離がある相手。SNSではつながっていたり、つながっていなかったりする。

　そういう流れで、考えていたことと、実際に起きた木村くんとの出会い直しが噛み合って、木村くんをモデルというかモチーフにして、距離感と木村くんを扱うというアイデアがバチっと来たので、こういう展示になりました。

スマホとコンテンツ

千葉　もともと私が荒木さんにお声がけしたときには、基本的に音のことを考えていました。今まで見た作品でも、もちろん映像もあるんですけど、音を使って、音がどういうふうにシンクロしているかが気になって。音のシンクロをうまく使って作られている作品だから。視覚的なものは見ないようにすることができけれども、音は聞かないようにすることか簡単にはできなくて、聞こえてきてしまう。そういう意味で、他からの感受性や他者との関係を考えるうえでも、特に音に注目したいなと思っていました。だからあえてビジュアルではない音を扱っている、荒木さんにお願いしたところがあって。

　でも今あらためてお話を聞きながら、音を扱ううえで何のデバイスを使うかというのが今回の作品にとってすごく大きなポイントだったのではないかと思いました。スマホというのは音を出すことに特化した媒体でもないし、モニターという役割だけでもない。付属している機能がすごく多いデバイスで、むしろすべてのことにつながったメディウムである。そうであることが、出会い直しの話にまでつながって、ある意味予想外の展開が起きた。今回の展示の空間の作り方や音の関係性といったものは、想定して期待していた通りなんですけど、木村さんという人が登場して、SNSで出会い直すとか、そういうもう一つ別の次元が介入することになるとは思っていなかった。スマホを選んだことによって、コンテンツが決まったという感じがすごくしました。

荒木　コンテンツの重要性について言うと、今回が特別そうだったわけじゃ

なくて、実際はいつもそうなんですよ。最後の出力に際してどの程度の音量で、どういう空間にするかというのは、もちろん技術的、テクニック的なところとして大事なんですけど、僕にとって最初の入り口として大事なのはやっぱりコンテンツです。「とりあえず音をやろう」というのではなくて、何のための音であって、それがどのように響く場であるかということを最初にむちゃくちゃ考えてからでないと動けなくて。

千葉　もちろんそれはすごくそう思うんですけど、たとえばこれまではある場所で撮影、製作するといった環境要因が大きかったように思うのですが、今回はスマホだったということが、コンテンツそのものを引っ張ってきたのかなという感じがしたんです。

荒木　それはそうですね。スマホはかなり大きな要素ではありました。スマホって普段は超プライベートなものだし、でも逆にそのものすごく個人的なちょっとしたことを、こういう形で展示を通して提示できるというのは、スマホならではかもしれません。ギャラリー内でもエントランスのところでも、木村くんとの交渉のうえでしか成り立たないことですが、木村くんのプライベート写真をスライドショーで流させてもらっています。木村くんの場合、急にスマホの全部のフォルダが送られてきて。すごくプライベートな写真から何から。「あ、これはすごいな」と思って。そういうこともやっぱりスマホならでは、覗き見ているというか、「見ちゃった」いう感じですよね。電車とかに乗っていても、立っているときに横の人のスマホの画面が……。

———

千葉　見えちゃいますよね（笑）。

———

荒木　「なんか見ちゃったな」と。ああいうことも、生活のうえではよく気になる出来事でした。電車の中とかで目の前のおじさんがスマホで漫画を読んでいるとか、そういうのも面白いなと。それによって、「この人はこういう人」というのが僕側から勝手に形成されている感じ。「この人漫画読むんだ」とか、そういう形で、今はその人のプライベートが見えてしまうことがある。その感じも含めて、そういうことにサウンドトラックを付けるというようなことをしようかなとなりました。

———

音の存在感、気配

千葉　木村さんの写真を選んで、音大生の皆さんにサウンドを届けてもらっているわけじゃないですか。写真を選んだのは荒木さんなんですよね。たくさんある写真の中から写真を選んで「これに曲を付けてください」と。

荒木　出演していただいているのは、西洋音楽、クラシックや声楽を専門に勉強している学生の方々です。木村くんのプライベートな写真を普通にプリントして見せて、その誰だかわからない人に対して音を届けてくださいという依頼をする。演奏者はみんな即興で、その場でその写真に対して音を出す。基本的にはマンツーマンというか、それぞれ一人に届けていて、展示ではそれを11人分集合させている。

———

千葉　動画の長さ（分数）がそれぞれ違いますよね。だからこそ、会場で全体として聞こえてくる場合にはそれぞれの間にずれが生じてくる。つまり、会場で体験できる音はいつも違っていて、共通のものを聴く体験にはならない。みんな共通のものを聴く機会はないということなんでしょうか？

荒木　細かく言ったらないですけど、鑑賞者が受け取る印象はさほど変わってはいないと思っています。でもやっぱり、たとえばここで一つの映像を見て集中して聴いているときに、ふとあっちで何か別の音が聞こえて、意識が持っていかれたりすることがある。それは本当にそれぞれのタイミングで、重なり合いが変わる。

千葉　それは本当にこの会場、この展示ならではという感じがしています。ある場所である作品を見ているときに、他の作品を同時に見ることはできない。でも映像だけだったら感受できないと思うのですが、音であれば、遠くで鳴っている音に引っ張られるというところがすごくある。

荒木　そうですね。だから、個々の作品を作っているときにも思っていたのは、機器を介しての存在というのは常に、僕のなかで大事な要素だということです。「サウンドアート」とかそういうことではなくて、音の存在感や気配というか、そういうところのほうにわりと興味があって。だから、そのあたりはいつも意識していますね。ここにいて、あっちで呼び声のように何か音が鳴って、ふと導かれてしまうというような。

　撮影のことを話すと、各奏者ごとに、演奏者がいて演奏している状態のショットと演奏者不在のショットを、接写と引きのアングル、2台のカメラで撮影して、それぞれの映像からシーンを選んで編集しています。

千葉　映像で無人のときは演奏していない、つまり映像から音は出ていない状態ですよね。演奏していない時間がけっこうあるから、逆に他の映像から響いて来る音がよく聞こえてきたりする。そのあたりは、ある意味で計算してやっているということですよね。

———

荒木　ある程度は意識しますね。一つの要素の存在だけが際立ってしまうと良くないので、呼び声的なものがやはり必要だと思うので、余白を作って空間にはめていくような作業はしますね。

———

息吹と複数の感覚

千葉　どの楽器を使うかというのは選んでいるんですか。

荒木　そうですね。基本的には弦楽器はやめようと決めていて、声楽、声はいいなと思っていたんですけど。あとは「息吹系」というか、息、ブレスで調整できる楽器にしようというのはありました。

———

千葉　サックスとか、クラリネットとか。

荒木　フルート、バリトンサックスとか。あとオプション的にパーカッションもいるんですけど。あとピアノです。基本的に「風」つながりといいますか、なんとなく「ブレス系」の楽器です。人が横を通ると、風が吹くような体験がありますよね。人同士の触れ合いにも、風や息吹という要素はある。

千葉　確かに。話しているときに息がかかるとかね。他者の存在をすごく感じますからね。

———

荒木　「近いな」とか。そういうのもある人にとっては意識することかもしれないし、しないことかもしれないけど、できるだけいろいろな要素を散りばめて開かれている状態にしたいというか。だから楽器は弦楽器よりも息吹系かなと。

千葉　そう思うとやっぱり、扱われている感覚が一つではない。視覚だけではないし、聴覚だけでもない。さっき行なわれた木村さんのパフォー

マンスでも「痛風」というモチーフがあったけど、痛風はまさに、風が来ることにより痛みを感じるわけじゃないですか。自分の内部で何かが起こるのではなくて、外部から風が来ることによって初めて生じる痛み、感覚。まさに自分が外部とどう接するか、どう接触するかが端的に現れる現象ですよね。

——

荒木　あと、食事ですね。アルコールや食べ物を外部から取り入れることによって、人は痛風になってしまうので。

——

中心にある空虚

千葉　今回の展示を見ていて思ったのですが、たとえばこの展示会場の中心にある椅子も、スポットライトも、いわば木村さんのためにあるわけじゃないですか。なのに、その中心に木村さんがいるにもかかわらず、木村さんを誰も知らないし、誰なのかという情報もないから、木村さんがいるけど、いないというような印象を受けるというか。いってみれば、中心が空虚で、そこが面白いところかなと思いました。木村さんは時々会場に来てパフォーマンスをしていると思うので、木村さんがいるときはわからないけど、少なくとも木村さんがいないときについては、中心がぽっかり空いていて、イメージはあるのにすごく空虚みたいな感じがして。

　　　演奏している人たちもそうですよね。会場では木村さんのイメージは見えるけど、逆に演奏している人たちは、後ろとか横から撮られているからほとんど姿がわからなくて、そこもまた情報が出てこない。空虚な木村さんを中心にさまざまな空虚なものがあって、そこの周りで何か事が起こっているような感じもして。

　　　荒木さんが、よく知っているわけではない木村さんを選んだことも、ただ相手との関係性がどうとかそういうことではなくて、関係はあるんだけどそれよりも空虚なものにむしろこちらがアクションをしてしまうというそのことを問いにしているというか。どうしても入ってきてしまう外部との関係性を考えるときに、空虚ということが、何か鍵になるのでしょうか。

荒木　今のお話を聞いていて、空虚さというのを僕は半分は意識していて、半分は意識してないなと思いましたね。というのも、「当事者」ということがありますよね。事件にしても震災にしても、いろいろなことで、当事者か、当事者じゃないかという区別が語られる。でも大概のことは結局誰しもスマホでしか出来事を受け取らないし、それもすぐ忘れてしまう、ということありますよね。

　　　そういうことと、この実体、中心がないという点で、「『木村くん』と言ってるけど、誰?」ということが作品のメインに据えられていることはつながるとは思います。逆に言ったら、ただそれを否定したり肯定したりするという話ではなくて、そのことにただ単に思いを馳せるというようにしたかった。そういうことは意識していました。ただぼーっと風景を見ているような感覚ですね。帰りに電車に乗ってスマホを見たときに、「うわっ」と何かに出会ってしまうような。

　　　そういうことに僕はずっと興味があって。「再生」というのが僕のなかでテーマなんです。再生というのは、メディアを再生するという意味のほうではなくて、「再び生まれる、再び生まれさせる」という意味で。スマホを介していろいろと再生される物事、出来事とか、そういうことは考えたいところではありましたね。

——

千葉　それはすごくわかる気がします。

——

荒木　とはいえ、それなら完全に不在にするというのもちょっと嫌だったので、

やっぱりドキッとする要素は作りたかった。だから会期中に、来られるときには木村くんがやって来る時間を設けていて、こっそり奥の壁に、木村くんが展示会場に来ている日付がサインと一緒に書いてあったりするんですけど、その時は木村くんが実際このへんでうろちょろしていたから、作品としてスマホ越しに見ていた木村くんが、会場に実際にいるという時間もあった。それぞれの時間帯で照明の色とかも変わるので、本当に鑑賞する人によって木村くんとの出会い方も変わってくるというか、受け取り方も違う。そこも大事な要素として入れていました。

——

文脈やジャンルへの距離感

荒木　今回もそうですけど、作品についていかに文脈やジャンルを作らないか、作らせないかということは意識しています。これを「音楽」と言わせないとか。一つの単位で「これは彫刻」「これは何々」というかたちで見る見方が、ちょっと僕は気になっているところがあって。「それではないし、それでもある」という状態を担保したいというか。「作品」、ぐらいの枠で行けたらいいなと思っています。映像だけど、映像作品じゃない。全部が要素という感じですね。

——

千葉　今回の作品も確かにそうですね。映像としてあるけど、映像作品として「作り込んでいる」ものとは違うし。

——

荒木　だからみんな困惑すると思うんですよ。けど、そうじゃないと受け取れないことが絶対あると思っていて。やっぱり「映像作品」にしてしまったら、見る側にフィルターがかかって、それを通して見てしまうので。

——

千葉　確かに見る情報というのは比重がすごく大きいから、かなり引きずられる側面が大きい。

——

荒木　そのへんは今回もけっこういろいろ考えましたね。文脈やジャンルといったものは、結局それを考えれば考えるほど、意識せざるをえなくなる。音楽のジャンルで「ハードコア」だと言っているものを、美術の枠組みの中でやると盛り上がったり面白がられたりするというのも、結局はとても文脈的だと思う。「ハードコア」という、他人の歴史じゃないですけど、そういうものを借りて何かやっているというのが、あまり僕は好きではなくて。「それってハードコアだよね」とみなされたものを、ただ別の場所でやっているだけだと思ってしまったりする。

——

音楽と音楽以外の要素

千葉　荒木さんは美大に入られているけど、もともと音楽がやりたかったっておっしゃっていませんでしたっけ?

——

荒木　もともとは音大に行きたかった。けど、音大は僕のやりたいようなことと全然違うシステムだということを知って、興味を失ったんです。それだったら美大や芸大で、音楽的なことをやったほうが自由度はあるかなと思って。

——

千葉　そのおかげもあって、結局映像とかもやることになったということですよね。

——

荒木　そう。だから、映画とか舞台作品からの影響はかなり大きいですね。やっぱり映画かな? 映画の時間感覚だったり、映画的な内容だったりは、音楽にはできないことなので。音楽は抽象になる。

千葉　音楽も時間芸術だと思うんですけど、イメージが伴わない？

荒木　時間芸術なんですけど、本当に音だけで30分構成して聞かせるイベントってあまりないでしょう？ 昔のラジオワークなんかには、実験的な面があるんですけど、でもそのへんは現代ではあまりやっている人がいないんです。だから、劇場で対面式で音を聴かせるだけの作品から入ったんです。

千葉　イメージはあくまでも聴く人に委ねられるということですよね。

荒木　そうですね、基本はスピーカーだけですよね。若干の照明の変化や空間の変化はあるけれど、音が再生されているということを自明にしたうえで、展開するというような作品を出して、「あ、僕がやるべきことはこれやな」という感じ。

千葉　時間の扱いというか。でもそのままそれで行かずに、実際にビジュアルを使ったりするようになっていくわけですよね。

荒木　そうですね。環境音楽ってあるじゃないですか。全盲の人などでなければ、音楽を目をつぶって聴く人はいないし、音楽を聴くときって必ず環境の影響下にある。そのことはやっぱり面白くて。友達と音楽を聴いているときのほうが1人で聴いていた時より良く聴こえたり。あれ不思議なんですけど、一人で聴いてもなんともないですけど、友達に紹介されたら、むちゃくちゃかっこいいなとか。聴く環境によって、視聴体験はやっぱり全然違って。そういうことでビジュアルや空間要素を使っています。

開かれとリスナー側の視点

千葉　荒木さんは今回、テキストでも「サウンドトラック」という言葉を使われていますね。サウンドトラックを付けるというのも、もともと荒木さん自身が映画の体験や、映画的なところから感受してきたものがやっぱりあるからこそ、映画にサントラがあるように、映画的とは別のものに、サントラを作れるという考えになっていくのでしょうか。

荒木　そうですね。サウンドトラックって、何かについての音という、自明のものじゃないですか。それは最近僕がやっていることを表すのに便利な言葉だなと最近思って、去年野外コンサートで作品を作ったときに、タイトルに「サウンドトラック」と付けて＊、バッチリだと。それ以降よく使いますね。

千葉　荒木さんが作品を提示するときに、他の人がどうとでも受け取ることができるというか、感受の可能性が開いている感じがします。「こういうふうに見てください」とか、「こういうふうに見れる作品です」という筋書きがない。だから惑う人もいると思うんですけど、ある意味では見るという体験を、相手にわりと委ねていると思うんです。「委ねている」という言い方以外が良いと本当は思うんだけど。人がそれぞれに受ける感じ方を信頼して、「そこはもうそうしてください」という、ある種の態度なのかなという感じがしました。

荒木　さっきの音楽の話に戻るんですけど、ある時から音楽を作る側ではなく視聴する側、リスナー側の視点というのが僕のなかで出てきたんです。聴くことによって作るというか、良きリスナーとして僕が発見したことを鑑賞者に共有するような感覚です。その程度でいいなと、ある時思ったんです。音楽を聴いて起こるスパークというのは、結局はリスナー側で起こるものなので、音楽を作った人がどれだけ作品について熱心に語ったところで、結局はリスナー次第。聴く側でしか何も残らないわけです。そういうことは影響しているかもしれません。こちら側でめいっぱい作り込んだところで、聴く人にどう思われるかなんてわからないわけですから。

＊　荒木優光『サウンドトラックフォーミッドナイト屯』比叡山ドライブウェイ山頂駐車場、2021年（『KYOTO EXPERIMENT 京都国際舞台芸術祭2021』プログラム）。

不在の空所と経験の生成

何を見ているのか。何を聴いているのか。荒木の作品には、それとすぐには把握することが困難な空所とでも呼ぶべきものがある。そしてこの空所こそが、様々な要素をつなぎ合わせる要となり、イメージが新たに生成され始める。本展は、何年も会っていなかった大学時代の知人「木村くん」を巡る舞台劇＝オペラのような体をなしているが、ここでは彼こそが空であり、いわばマクガフィンとなって作品を駆動させる。

階段を降りていくと、会場の入り口手前の片隅に一台のスマホがあり、木村くんの写真がスライドショーで次々と流れていく。とはいえ初見の私たちには、そこに写る男性が何者なのか、知る由もない。音声も字幕もなく、その人は海外にいるかと思えば、犬の仕草を真似たりもしていて、一体、どう見ればよいのかと戸惑いを覚える。

　心許ない気持ちで中に入ると、今度は会場のあちこちから歌やピアノ、管楽器の音が流れてくる。音の出どころを確かめようと近づくと、様々な格好をした石膏の手のオブジェ（実際には3Dプリンターによる樹脂製）が壁に沿って並び、その手に収まったスマホの画面に、先に見た男性の写真に向かって歌を歌い、楽器を奏でる人たちの姿が映る。説明によれば、木村くんにサウンドトラックを捧げているらしい。しかし、会場中心に置かれた空の椅子は、受け取り手となる当の木村くんの不在を強調するばかりである。そもそも歌が本来人間の感情や言霊と深く関係しているのだとすれば、奏者は見ず知らずの「木村くん」にどのような心持ちで臨むことができるのだろう。なんとも奇妙なシチュエーションは、それらを見ている私たちにも同じように返ってくる。

　静かに耳を傾けていると気づくが、それらしいメロディーは即興のようで決まりはなく、曲の長さもスマホごとにまちまちである。ゆえにそれらは決して合唱のように荘厳な一つの形に向けて統合されることはない。音はばらばらのまま多声音楽のように不思議に共鳴し合い、しかも微妙に時間にズレがあることで、共鳴の仕方もその都度異なる。言ってみれば、荒木の作品においては、体験が個別の鑑賞者ごとに異なり、それが各々に委ねられているのである。しかもこの個人的な体験は、固着することなく持続的な変化の波の中にあり、決して等しく他者と比較共有することができない類のものだと言えるだろう。

視覚偏重の美術において、「音」に特化した作品を手がけて

きた荒木。流れ続ける音は、視覚芸術とは異なり、確かな形態を通して、時間の制約を超えて経験することが不可能な対象である（それを経験可能にしたのが「記譜」という手法だとも言えるが、それはあくまでも代替でしかない）。抽象度が高く、虚空の一点で線を結ぶように、音は体験者の中で生成・認識される。音はまた、常に遅れとして、想起のなかで体験し直される。荒木の作品に空所というべき場所があるとしたら、それはこの経験に必要不可欠なものだからではないだろうか。本展はその空所を、不在の存在としての木村くんを中心に置くことで構造的に作り出している。そうすることで、視覚を伴いながらも本展は視覚を超えた経験として一層、私たちに深く刻まれることになるのである。

千葉真智子

A Void of Absence and the Generation of Experience

What are we looking at? What are we listening to? In Araki's works there is a void of sorts whose presence and nature are somewhat difficult to perceive immediately. This void in itself serves as a key to linking various elements together, thereby resulting in the generation of new thoughts and impressions. This exhibition is presented in a form reminiscent of an opera or stage play regarding "Kimura-kun," one of Araki's acquaintances from his university days whom he has not seen for many years. Here, "Kimura-kun" himself is the void, or the MacGuffin so to speak, that drives the work.

Upon descending the stairs, what comes into view is a smartphone placed in a corner in front of the entrance to the venue, on which photographs of "Kimura-kun" are shown one after another in a slideshow format. However, as we are seeing it for the first time, we have no way of knowing who the man in the photographs is. Devoid of both sound and subtitles, one moment the man seems to be somewhere overseas, and the next is seen imitating the gestures of a dog, leaving us perplexed as to what on earth we are supposed to make of it.

Entering with a sense of unease, the sounds of singing, piano, and wind instruments are heard from here and there throughout the venue. As one approaches to see where the sounds are coming from, one finds a series of plaster hand sculptures (in fact made of resin and produced with a 3D printer) in various poses installed along the walls. Shown on the screens of the smartphones held within these hands are footage of people singing songs and playing musical instruments to photographs of the man seen earlier. According to the description of the work, the people in the videos are dedicating a soundtrack to "Kimura-kun." However, the empty chair in the center of the venue only seems to emphasize the absence of "Kimura-kun," the man who is supposed to be the recipient of this soundtrack. If songs are deeply connected to human emotions and the spirit of language

in the first place, through what kind of mindset are these performers to engage with "Kimura-kun," who is nothing but a stranger to them? This peculiar situation also confronts us viewers in the same way.

When listening quietly, one notices that the melodies seem to be improvised and have no set rules, and the length of the songs varies from phone to phone. As such, they never come together like a chorus to manifest in any magnificent, unified form. The sounds remain disparate, yet mysteriously resonate with each other like polyphony, and what is more, the slight time lag between the sounds makes them resonate in different ways each time. In other words, the experience of Araki's works is different for each viewer, and is thus respectively entrusted to the individual. Furthermore, it can be said that this individual experience is not fixed, but resides amid continuous waves of change, and can never be compared and shared equally with others.

Araki has been creating works that specialize in "sound" in the field of art that places emphasis on the visual. Unlike visual art, continuously flowing sound is a subject that cannot be experienced beyond the constraints of time or through a definite form (while one could say that "musical scores" have made this possible, it is merely a substitute). Sounds by nature have a high level of abstraction, and are generated and recognized within the experiencer, like connecting lines at a point within the void. Sound is also always delayed, and re-experienced in recollection. If there is a place within Araki's work that should be defined as a void, it is because it is essential to this experience. This exhibition structurally creates this void by placing "Kimura-kun," who is an absent presence, as the central focus. In this way, this exhibition, although accompanied by visual imagery, is deeply engraved in our minds as an experience that transcends the visual.

Machiko Chiba

私の総体／個と社会の不可分性

社会的、政治的であるとは、どのような態度を指していうのだろうか。そして芸術において社会的、政治的であるとは、どのような造形をして成立し得るというのだろうか。

大木さんの映像作品に映し出されるのは、ごく普通の人たちの――それは10代の一時期という凝縮された特別な時間のなかにある高校生であり、そうした時期も過ぎた大人たちであり、またその目撃者である大木さん自身である――、ごくごく日常の断片というべきものである。しかし、その時々の光や風景を含んだ映像の連なりは、いわゆる「意識の流れ」ともいうべき流動する大きな全体から成っていて、そこには独特の眩しさがある。

高知、東京、岡山と複数の拠点をもち、移動を繰り返しながら制作し、複数の展示やパフォーマンスを行う。その日の出来事やその時々に感受し、想起したことを何十年にもわたり、メモに取り、言葉に留め続ける。こうして記録され、記憶された様々な出来事や想念は、長い年月のなかで醸成され、作品のなかに幽霊のように回帰、出現し、連想の糸を結ぶ。部分である個々の作品に、過去を含む総体が流れ込んでいる。

大文字の「建築」から離れ、「映画」という方法を手にした大木さんは、日常を暮らす人々とそれらを取り囲む場や関係の全体を考えることで、より深く建築的なるものに関わり続けているともいえるだろう。建築とは、そもそも個人と社会の全体を必然的に含むものである。

社会的、政治的であることを標榜することなく始まった制作行為や造形行為が社会や政治に接続する。過去の出来事も、いま自分がとった行動にも何がしかの必然性がある（と考える）。「個人的であるということはすごく社会的」なことである。
創造と社会の結び目。

千葉真智子

The Inseparability Between Society and Oneself as a Whole / Individual

What is meant by being social and political? Through what kind of forms is it possible to attain socialness and politicalness in the context of art?

That which is presented through Oki's video work could be described as the fragments of the everyday lives of ordinary people — such as high school students in the midst of their teenage years which is a highly special and condensed moment within their lifetime, adults who have passed that period, and the artist himself who is witness to it. However, the series of images, including the light and scenery of each moment, consists of a large and fluid whole that could be described as "stream of consciousness," which harbors a unique air of radiance.

Oki, basing himself in multiple locations of Kochi, Tokyo, and Okayama, produces his works while traveling back and forth, presenting numerous exhibitions and performances. Over several decades he has continued to take notes and document through his own words the events he has experienced as well as what he felt and contemplated at the time. The various events and thoughts that are recorded and are engraved in his memory in this manner are cultivated over many years, returning and emerging in his works like ghosts of the past, tying threads of association. The whole, including the past, permeates the individual works that are its comprising segments.

Having moved away from "architecture" and employing "video" as his means of expression, Oki could be seen as continuing to more deeply engage himself with the architectural by comprehensively thinking about people living in everyday life and the places and relationships that surround them. Architecture inevitably encompasses everything from the individual to society.

Even acts of creation and formative expression initiated without social or political intent, are tied to society and politics. There is some kind of inevitability (or so one believes) in the events of the past as well as one's current actions. "To be personal is something that is highly social." It suggests the link between creation and society.

Machiko Chiba

大木裕之「tiger / needle とらさんの墨汁針」

vol. 4

大木裕之×千葉真智子

2022年12月9日｜金｜18:00～

千葉 大木さんはご自身がいろんな場所に住み、移動しながら、そこで出会ったものを映像やドローイングに記録しながら制作されています。またその時々に手に入れたものをずっと保管して作品と一緒に展示されたりもしているので、一つの作品や展示のなかにあらゆるものが入り込んでいます。それらは一見するととても個人的なもののように見えますが、その振る舞いのなかには必然的に社会的なことが内包されていて、ある意味ではとても政治的な要素が含まれているのが見えてきます。

また、大木さんの特徴の一つとして展示が変化していくことがあげられると思いますが、今日はこのような状況になっていますが、最初はもう少し違うかたちで展示が始まって、大木さんがギャラリーに通いながらさまざまなアクションをされた結果がこのように展開しています[写真1,2]。初日と比べると壁にドローイングが増えるなど変化がありますが、ただ広がるだけではなくて、縮小して違うかたちで展開するなど、増殖していくだけではないところも非常に面白いなと思います。私も数週間ぶりに展示を見ましたが、この間に大木さんに何があったかということが少しずつ見えてくるのも非常に面白く、それは大木さんのことでもあるし、大木さんに関わる社会の変化としても表れているように思います。

——

大木 少しヒストリー的な話になるのですが、僕自身はいわゆる映画監督として活動を始めました。実は今展示しているもの以外にも展示しようと思っている作品があって、データ化が遅れていて来週には展示できると思うのですが、40年前の1982年に撮ったのが一番古い作品です。僕は東大の建築出身なんですけど、18歳、1年生のときに主演と脚本を担当した《彩りの彼方へ！》という8mmフィルムで撮った劇映画です。今展示しているなかでは1990年の《夏至の子》が一番古い作品で、僕がまだ高知に移住する前の8mmのサイレント作品です[写真3]。それから、30年前の1992年にフジテレビで「バンビィな男たち」という深夜番組を3話分を担当したのだけど、その映像も展示しています[写真4]。今はLGBTというけど、当時は日本に限らず世界的にいわゆるゲイというもの自体が社会化していく時代でした。キース・ヘリングをはじめとするたくさんのアーティストや、エイズ、当時のアメリカの流れなども含めて影響があったのだと思いますが、「バンビィな男たち」はフジテレビの深夜枠で初めて男のお尻がテレビに映ったとかで話題になって。全部で14話のうち、恋人編、サッカー編、少年編の3話分を担当しました。恋人編は、人気投票で1位になって再放送されたりもしたんですよ。けっこうレアなの。貴重なんだよね、これ実は。

——

千葉 お聞きしないと知らないようなことがいっぱいありますね。

——

大木 僕も長く生きているからいろいろあってね。僕自身はずっとフィルムで撮っていて劇映画とかもけっこう撮っていたんですけども、1998年からビデオというか美術界に徐々に入ってきました。1999年の「時代の体温 ART/DOMESTIC Temperature of the Time」（世田谷美術館）という展示が映画監督から美術業界に移っていくきっかけになった展覧会です。ご存知の人もいると思うけど、大竹伸朗とか奈良美智たちが参加していたような伝説的な展覧会ですね。そのあと2002年から2005年にかけて撮影していた、僕が映画と美術のあいまいにいた頃の作品がこの《マ》ですね[写真5]。次は2004年から2009年にかけて制作した《娜木(ナム)》。その次は、少し前後しますが、僕は高知でよさこい祭りのチームをやっていて今年21年目になるんですけども、2000年から2012年までの様子を記録した作品の《M・I→2012》[写真6,7]。ちょうど今画面に写っていますが、彦坂尚嘉さんが踊りに来ていたりもする（笑）。

《娜木(ナム)》は今回の展示では一番の大作で70分くらいある作品です[写真8]。《マ》も50分ある映画作品ですが、僕自身は基本的に映画監督、長編映画作家なんで、時間の流れが重要なんです。だから展示のなかで映像を見せるということに未だにものすごいギャップを感じていて。映画は暗闇で始まって終わりがあるという前提で作るけど、展示は途中から見ることになるし、自由に出入りできるような展示という形式のなかで劇場と同じように見せるのはやっぱり無理だから、本当に苦しんで。

——

千葉 今回も展示するかしないか最後まで迷っていらっしゃいましたよね。70分、50分の尺のある作品をどれくらいの人が作品として対峙してくれるかと。最終的に展示するという判断になりましたね。

写真1｜2022年10月31日の展示風景

写真2｜2022年12月19日の展示風景

写真3｜《夏至の子》

写真4｜《バンビィな男たち（サッカー編）》

写真7｜《M・I→2012》関連資料

写真5｜《マ》

写真8｜《哪木（ナム）》

写真 9｜《LTBTIQ》

写真 12｜《とらさんの墨汁針》

写真 10｜《マみL》

写真 13｜gallery αM 近所のお店の領収書や切符

写真 11｜《ここに、ひとが、ひとが、》

大木 本当は《哪木(ナム)》は、こうやってインスタレーションのなかで見るものじゃないんですよ。だけどやっぱり僕はいろんな要素があるなかでこれが展示されているのも良いと思う。ちゃんと全部見てくださる方もいますよ。今回は会場が広くて良い機会だったというか、今9つのモニターやプロジェクターで映像が展示されているけど、短編だったり長編だったり、やっぱりここまで展示されている作品が幅広いと見え方も微妙に違ってくるというか、作品の一部だけ見ても、撮影機材や編集方法の違いにある種の色彩やトーンがあって、いろんな時代、いろんな手法、それぞれがみんな違うことを全体の空間のなかで感じることができるなと。今の時代なんて映像を暗闇で観るっていうよりはスマホやパソコンで観る時代だからね。たとえば、《哪木(ナム)》はミニDVですけど、TAVギャラリーで発表した2017年の《LTBTIQ》[写真9]と、今年の作品で《マみL》という新作[写真10]はHD。一番奥のライブラリー側にあるのが、スマホで撮ってYouTubeにアップしてる8秒の作品で、《ここに、ひとが、ひとが、》という今年の作品[写真11]。

千葉 打ち合わせで「そういえばこういうの撮ってアップしてたんだよね」と見せてくださって。今年の作品ですし、ぜひ見せられたらという感じで。

大木 82年の作品は来週追加できると思うけれども、今の時点でも90年から2022年まで、30年以上の作品があります。この30年間はけっこう激動で、特に映像に関しても1990年の頃なんてスマホで無かったでしょう。たかが30年前だけど、8mmフィルムからスマホまで。どんどん変化していく消費文化というか、そのなかに翻弄されつつ僕もこうやってぎりぎり長生きしてきてるしね。そして入り口正面にある新作《とらさんの墨汁針》は僕が初めて4Kで撮った作品です[写真12]。搬入中に撮影した映像や会期中の映像が映っていますが、これからも更新していく予定で、今日も更新したいんだけど。

―

千葉 今回、《ここに、ひとが、ひとが、》と《とらさんの墨汁針》、スマホで撮っている作品が二つあるんですよね。《とらさんの墨汁針》のほうは、スマホだけでなくビデオカメラも使用しているそうですが。

―

大木 基本即興というものも大きなテーマなので。一応、作品と即興、パフォーマンスの問題っていうのがあって……。実は今度ね、来年2月から始まる「恵比寿映像祭2023」(東京都写真美術館)のコミッション・プロジェクトに参加するので《meta dramatic 劇的》という新作を作るんですよ。ライブと映像のことがテーマになっています。それはHDで撮影する予定だけど、今回の《とらさんの墨汁針》は4Kで撮りたくて。
　もう一つ大事なのが場所のこと。今回の展示では高知で撮った作品も多いけど僕はもともと生まれ育ちは東京の多摩西部。多摩地区生まれで、27歳で高知に移住したんですけど、今拠点にしている家は6軒ありましてね。

千葉 5軒だと思っていたらまた増えたんですか?

―

大木 最近は半分以上東京にいたりするんですけども東京はこれまでずっと西のほうにいたので東のほうはあまり知らなかったんですが、ちょっと東のほうに惹かれて2, 3年前くらいに葛飾区の青砥に事務所を借りまして。2021年に東京ビエンナーレに参加したときにも神田にずっと通っていて、ちょうどこの展示の依頼をいただいた頃だったので、αMのすぐ近くをしょっちゅう通りながら行っていました。

―

千葉 打ち合わせのときも、最初から場所性についてお話されていましたよね。

大木 そう。どの作品も場所がすごく重要な要素なんです[写真13]。今回も青砥から京成線と都営地下鉄を使って東日本橋から歩いて馬喰町を通りながら、どんな作品にしようかなと考えたときに、今年は寅年だし、僕も映画と美術の関係をいろいろずっと考え続けてきているからなのか、何はともあれあの「寅さん」が出てきた。寅さんといえば葛飾だし、皆さんは寅さんのことをどう思われているかわかりませんけど、僕は寅さんがけっこう好きなんですね。あと実は僕、永井荷風が好きで。濹東綺譚とかね。濹東ってのは隅田川の東側のことですが、武蔵野台地は地盤がしっかりしているけど、東側は川が多い。今の川って水運や治水の関係で江戸時代とかに整備されたものが多くてすごく人工的なんだよね。このあたりも川がたくさん流れていますが、川っていうのもけっこう重要です。それとなぜ展覧会名に墨汁という言葉を使用したかというと、僕は書も好きで[写真14, 15]。墨ってどうやって作るか知っていますか?煤と膠なんだって。で、その煤ってどういうものなのかいまだに科学的に解明できていないらしいの。なんか深いんだなぁって。針については、僕自身はアーティストとして、個人の表明のためじゃなくて、世の中の鍼灸や整体のようなことをやっていると思っているんです。鍼灸や整体って身体のなかでどこがどう悪さをしているかを診るでしょう?世の中全体のシステムのなかで、みんなの固定観念であったり身体的なことも含めて、本当にそこらじゅうに腫瘍やウィルスのようなものがあると思うので、対処

写真14｜大木による書

写真15｜大木による書

療法ではなく足の裏を突いたら右胸のところに影響があるというようなことを心がけているんです。そういう意味で鍼というのが大事で、タイトルに墨汁針と付けたのはそういう理由があります。

煤の話は、今僕がKOGANEI ART SPOTシャター2Fでやっている「超たままや19」という展覧会に参加してくれた人から聞いたんだけど、高い墨は松を燃やして作るみたいに、やっぱり木によっても煤が違うみたい。これだけいろんなことがわかっている現代でもいまだに煤というものが科学的にどんなものなのかわかっていないらしいのに、化学でなくて昔からの知恵でちゃんとわかっていたわけじゃない？それがガーンとそれこそ鍼が飛ばされるじゃないけど、そういう感覚がありました。僕は映像や作品に対して鍼灸的な要素や刺激を常に求めていて、それはただ刺激的という意味ではなく、鍼灸的な刺激を浴びることでちょっと痛い感覚を呼び起こすというか。だから今みなさんにも磁場が少しずつ届いているといいかなと。

そういえば千葉ちゃんが豊田市美術館で担当した「交歓するモダン 機能と装飾のポリフォニー」っていう展覧会が巡回で来週から東京都庭園美術館で始まるけれど、1910年代から第一次大戦前後のデザインを取り上げた内容なんだよね。

千葉 第一次大戦間の機能主義的なものとそうではないものとの関係性を取り上げた展覧会ですが、その時の社会状況は今の状況にも通じるものがあると大木さんとも話していましたね。

大木 第一次大戦前後という時代はけっこう激動で。映画は基本的に1895年にフランスのリュミエール兄弟が始めたというけど、パラパラ動くビデオ的な要素はそれより少し前のアメリカのエジソンのキネトスコープから。エジソンはその後ヴァイタスコープを商品化して特許に並々ならぬ執着心を燃やして使用を制限していたから、アメリカではエジソンが独占禁止法違反に問われて裁判の結果が出るまで自由に作れなかった。その人たちが新天地を求めてハリウッドに集まったわけですよね。もう1915年、16年には今でも有名なD・Wグリフィスの『國民の創生』と『イントレランス』が完成していて、音声のない仕事だけど、僕からしたら、今の映画のほとんどすべてがその時にもうあるというか。1890年代に映画ができてからそんなに経たない1913年ぐらいには、いわゆる今のハリウッドの劇映画が確立している。音や色がついたとかいろいろ変化はあるけど、ほぼすべてやりきっちゃってる。戦前の娯楽はやっぱりものすごい勢いだったのだと思います。ハリウッドのスターシステムから、資本主義、アメリカと。ヨーロッパは第一次大戦で大変なことになっちゃうから、僕はアメリカのエジソンのほうが今の映画の根幹を作ったと思っています。20世紀はアメリカが正義だからね。それがどんどんテレビに移り変わっていったりして。

で、僕は音楽が好きだから、同じ1913年頃のストラヴィンスキーが作曲したバレエの《春の祭典》も大好きで。ニジンスキーが振り付けをして、ニコライ・レーリヒが舞台と衣装のデザインをしたんだけど、レーリヒのこと、ご存知ですか？僕はすごい人だと思っていて、絵描きで一番偉いと思っているくらい。戦争中に日本の奈良・伊勢のような文化遺産が爆撃されなかったのはレーリヒのお陰なの。なぜっていったら、第一次世界大戦のあと、彼が中心になって国際連盟で戦争でも文化財を保護するべきだというレーリヒ約を作ったんです。絵描きでそれだけ影響力があった人なんて誰もいませんよ。《春の祭典》というとレーリヒよりストラヴィンスキーやニジンスキーばかり有名かもしれないけど、本当に僕はすごい人だと思っているし、それに《春の祭典》は20世紀最大のパフォーマンスだと思う。レーリヒはロシアの人ですけど、僕も大好きなブラヴァツキー夫人の神智学に影響を受けている。今日本でも統一教会問題があるけど、宗教ってものは絶対に人間にとって欠かせないと思っていて、宗教アレルギーは僕は違うと思っていますから。

こういうふうに、この頃はキュビズムやパフォーマンス系のもの、映画や映像、いろんなものが広まり始めた頃。その後愚かな第一大戦が始まって終わって、ダダやシュルレアリスムも出てくるけど僕は大したことないなと思っていて、やっぱり1913年の頃のほうが世の中が大きく変わっていったと思う。

千葉 戦争のインパクトが大きかったのでしょうね。

大木 そうそう。バウハウスとかもね。でもバウハウスも愚かにも間違いを繰り返すわけじゃない。だから何の力にもならなかったという意味では、100年以上経つけど、本当に愚かだよね。あれだけやって、何の力もなかったっていうことになるじゃない。だからそういう意味では、20世紀というものが何だったのか、厳しく検証していかなきゃいけないと思っています。そういうことを考えながら、千葉ちゃんの企画の「機能と装飾のポリフォニー」を見ていました。そのこともあって、今回、僕らの共通のテーマとしてカオスではなく、ポリフォニーの展示にしたいと話していました。僕

は今の展示の状況はカオスとはちょっと違うと思うんだよね。やっぱりこれだけ会場に広さがあると、こういうふうにいろんなものがある状況でも映像がちゃんと見えてくると思うし、カオスじゃなくて、ポリフォニー。だから僕の展示をご覧になった方はいろいろ考えてもらえるといいなと。

―――

千葉 一見すると雑多に物が置いてあるように見えるかもしれないですけれど、一つひとつ見ていくと、何かしらの場所に関係するものだったり、撮影された場所や時代に関わるものだったり、ポリフォニーの状態であることが見えてくると思います。もちろん大木さんはこの期間にもさまざまな場所に行かれていると思いますので、必ずしもこの場所に直接的には関係しないものもあると思うのですけど。

―――

大木 毎日のように会場に通うついでにいろいろ買っていたりするんだけど、ここらへん問屋街だから面白いんだよね。入り口の歌舞伎の猫の手ぬぐいもこのあたりで買ったものだけど、もともと貼ってあるムサビのポスターの両脇に貼って、ムサビが宣伝しているのかと思わせる感じに配置したりとか。僕にとって、地域や場所というものはやっぱりすごく大事で。

―――

千葉 今回大木さんの作品をいろいろ見させていただいてあらためて思ったのですが、今同時に開催している別の展示で起こしたアクションをこちらに持ってきたり［写真16］、会場から物を一緒に移動してくるなど、それぞれの展覧会もポリフォニーのような状態になっているのではないでしょうか。今はこのαMと、渋谷の東京都渋谷公園通りギャラリーでの「わたしからあなたへ、あなたからわたしへ レター/アート/プロジェクト「とどく」展」と、さきほど話されていた小金井の「超たままや19」の3箇所で展示されていると思いますが、それぞれは同じプロジェクトではないけれど、何か同時に事が起こって関連した展開をされている要素もあるような。

―――

大木 会場に入ってすぐに展示されているドローイングは一昨日完成したんですけど、今言ってくれたようなことが表れている力作で。東京都渋谷公園通りギャラリーでの展示は三人展だけど、僕は引きこもりの子と2年間に渡ってやり取りをした経緯を展示していて、その会場にも通って作品を更新しています。αM（馬喰町）で「あー！」って制作したあと今度は渋谷へ行って「あー！」ってやって。小金井のほうもね。

―――

千葉 ドローイングにはその3つの展示から生じていることが平面図的に描かれているものや時

写真16｜渋谷の展示から持ち込まれた虎の敷物

写真17｜ドローイングのうちの一点

]軸的に書かれているものもありますよね。

大木 ドローイングにはこれから制作する《meta dramatic 劇的》という恵比寿映像祭の作品の要素も入っていますね[写真17]。ドローイングをすると、現在の変化していく状況を整理しつつ、そのなかで何が今必要なのかを自分なりにイメージして紙に描くことで気付くことがある。だから、僕は作品にするためというより、本当に必要で描いている。ドローイングができると、やっぱりすごい制作が進むんだよね。

千葉 一緒にお仕事をさせていただくなかで知ったのですが、大木さんはその日にあった出来事や話したことなど、毎日のように沢山のメモに残していらして、それがこの展示の中にも大いに反映されているように思います。昔は私的でポエティックな文章を綴られていたと思うのですが、ある段階から断片的な言葉やイメージが散発的にページのなかに展開していくようになったと思います。それは映像の作り方の変化とも関係しているのでしょうか。《夏至の子》のような感情が揺さぶられるような、情緒的で感傷的な映像性が初期の頃にあったとすると、今はもう少し散発的なイメージが断片的に重なって展開しているように思います。その変化が8mmで撮っていた頃からデジタルに変わっていく頃とリンクしているように感じるのですが、そのあたりはたまたまなのか自覚的なのか、パフォーマンスやアクション的に制作をしていくなかでそうなったのか、どうでしょうか?

大木 うん、試行錯誤しながら変化している。でも僕自身は映像というものは所詮は機械だと思っているんですよ。それは当然、消費社会のなかのもので結局は全然アートのためじゃなくて。最初に言ってくれたように僕自身は自己表現だと思ってないんです。もちろん自分が出たりもするけど、それだけじゃなくて、とりまく環境や、もっとあらゆるもののなかから作品が出てきているから。

千葉 そのなかで何か必然的に変化したものもあるということですね。

大木 そうそう。(会場内を歩きながら)なんか面白いものないかな。ここに1982年の日記帳があるんだ。40年前のわたし。11月9日に《彩りの彼方へ!》を作っていたときのことが書かれています。
千葉 《彩りの彼方へ!》[写真18, 19]は実験映画的な様子がうかがえる時代を感じる作品ですよね。

大木 2012年にneoneo坐で上映したときはアントニオーニに似ているね、って言われたりもしたよ(笑)。そろそろ時間だけど何か質問したい人とかいますか。

質問者 先ほどの長い映像を展示するかどうかというお話で、70分見る人はけっこう少ない気がするのですが、最終的に展示すると決めた理由をもう少し聞かせてください。

大木 判断の尺度ね。やっぱり《哪木(ナム)》はすごい細かい編集をしているし、70分の大きなスケールがあって、2004年から2007年までチベット、イスラエル、パレスチナ、ネパール、トルコといろいろな場所を撮影していて、2009年に完成させた作品。審査員をやった山形国際ドキュメンタリー映画祭の審査員作品として出した力作で、断片だけ見ても全部はわからないんだけど、でもやっぱりそれぞれの存在の色彩から出てくる全体像があるじゃない、存在としてのね。

千葉 それぞれの作品から出てくるものがあって、撮り方の違いもすごく大きいと思います。

大木 そう! 今年は92年の《夏至の子》から30年、これから出す82年の《彩りの彼方へ!》からは40年経っているけど、一つひとつの作品がどうっていうのもあるけど、ある存在の個性やオーラのようなものは、実際に展示してみないとわかんない。長編の映像は短編と違うリズムを持っていたり、エネルギーの使い方も違う。だから狙いというより、それぞれの映像の持っている、なんていうんだろう……。とにかく、今回はここは場所がわりと広いということもあって、自分的にもやってみようかなと思えたし、実際いい状態の展示になったと思う。

千葉 最初の構想段階で古いものも含めてなるべく長期的な視点から大木さんの全体像を見せたいという狙いがあったので、なんとなく10年スパンを意識しながら作品を選んでいる面もあります。そうすることで、長い時間を経たなかで変化として見えるものや、変わらないものとして見えてくるものがそれぞれから浮かび上がってくるといいなと考えました。大木さんは多くの作品を作られているので私も実際に全部の作品を全編通して見ることなど到底できず、展示で何を見せるかはある程度大木さんに委ねていたところもあります。会場で最終的に展示した作品を見ても、《哪木(ナム)》ではイメージが重なってオーバーラップしていたり、《マ》はフィルムで撮ったものとデジタルで撮ったものがミックスされているので急に色彩が変わったり。やはりフィルムでしか出せない色合いというものがあって、見ているとノスタルジックな気持ちになるんだけど、

写真18 | 《彩りの彼方へ!》2022年12月19日時点での展示風景

写真19 | 《彩りの彼方へ!》搬出パフォーマンス期間《LTBTIQ》と入れ替えられた。
2022年12月22日撮影

写真20｜個展「建築の夢」のキャプション類

写真21｜《マー君とヤッピーの家》平面図

写真22｜子供の頃の日記と図面

　写真23｜搬出パフォーマンス中の様子 2022年12月22日

それが急にデジタルに変わることでパリッとした画面になって、同じ映像なのにこうもチャンネルが変わるのかと不思議な感覚を覚えました。「バンビィな男たち」シリーズはあえてブラウン管テレビで再生して、家のテレビで見るような映像の感覚があってもいいんじゃないかと話したり。本当にそれぞれの作品にすごく特徴があって、たとえ全部の尺を見ることができなくても、一つひとつの作品をただ見るのとは違う体験ができるのが展示という場だとあらためて感じました。実際こうやって展示を見ても、いわゆる映像作家ではできないようなことが起きているように思います。

映像作家であることと現代美術の作家であることの立ち位置をどう捉えるかという点は、大木さんの面白いところでもあり難しいところでもあると思うのですが、私としてはそこに何か一つの判断があるのではないかと思い、参加していただきたいと希望していたところだったので、この展示で応答してもらった感覚がすごくありました。

それと今回の展示の特徴でもあると思うのですが、大木さんがもともと建築をやっていたというのは一つの大きな要素のように思います。卒業設計《松前君の日記帳》(1988)で、時間の問題に取り組むために設計図に時間軸を表すタイムラインの要素を加えたような作品を提出して、それ以降、時間を扱えるメディアとしての映像に本格的にシフトしたそうですが、2010年にワタリウム美術館のオン・サンデーズで開催された個展「建築の夢」では、その《松前君の日記帳》に加えて、《マーくんとヤッピーの家》という平面図を展示したとお聞きしました[写真20]。今回の展示では、今展示しているこの空間に対するアプローチの仕方だけでなく、実際に大木さんが建築的なものをどういうふうに扱っていたのか、見せられるものがあれば興味を惹かれるし見てみたいということもあり、お願いして奥に平面図を展示していただきました[写真21]。東京に数多く屹立する高層ビルなどを見てもわかるように、建築は個人のレベルを超えたすごく大きなところに接続していて、資本主義の原理にすっかり絡みとられているとも言えます。それに対して大木さんは、建築はもっと人間自体を取り巻くすべてを含むようなもの、生きた人間の身体が介入して何かを感受するそのすべてが建築なのだという考えをすごく強く持っていらっしゃるのではないでしょうか。だから建築学科ではギャップを感じることもあったのではないかと思います。展示のなかにも自分がいる場所という問題が必然的に入ってくるのはそういったことが関係しているのではないでしょうか。シチュアショニズムへの言及をみても、大木さんは以前「ネオシチュアシオニストの前日」(2016, URANO)という展示を企画されたそうですが、そのあたりの感覚を感じるといいますか、大木さんの作品が社会や政治に接続していることがすごく現れていると実感します。

——

大木 《マーくんとヤッピーの家》は、実は地下4階まであって、皇室、天皇が関わっているんです。僕は本当に小さい頃から建築が大好きで、建築家になるのが夢だった。うちの親父は岡山出身で、西東京市に出てきて普通に就職して、僕は団地生まれ。保谷第二小学校に通っていて、僕の家は小学校で一番小さい家だったんですけど、本当に家が好きで、よく友だちの家に行って冷蔵庫とかを開けたりしてみんなに嫌がられたりしていた(笑)。DMの写真は僕が20歳のときに岡山の親父の実家で撮られた写真で、岡山には小さい頃からいつも夏休みに帰っていたんだけど、養鶏とかやっていて、東京とは全然違う世界だった。僕の家は本当に典型的な戦後の働き蜂世代の家庭で、お袋は専業主婦で、僕は一人っ子で3人仲良く団地住まい。その生活と比べると、岡山の父親の実家は全然違う世界だったの。それがやっぱり僕にとっては一つの衝撃で。都市は都市で好きなんですけど、岡山は家が広くて豊かな自然で、本当に好きだった。

あとは実は小学生や中学生の頃から設計をやっていて、ぬいぐるみが大好きで、ぬいぐるみのための家を設計したり。東大に入ったけど建築学科はそんなに点数は高くなくても入れるから、建築をやりたくて入ってくるわけじゃない人もいる。でも僕は小学生のときから建築家になりたかったから想いがあるわけですよ。18歳のときの設計もちゃんと見てくれる人がいたらけっこういいものだと思いますよ。ここにある図面は1982年のものだけど、18歳でこんな家を設計をする人もなかなかいないと思います。この時期にこれを作るということは、伊東豊雄より早かったと思う。勉強のためじゃなくて、小学生の時から自分のために家を設計しているくらい本当に好きだったんです。そんな建築家いないんじゃないかな。だから建築には厳しくなってしまって、藤本壮介とか伊東豊雄とか妹島和世とかは大嫌いだし、今の若い建築家なんて全然だめだと思うんだけど、僕はフランク・ロイド・ライトや原広司が好きだし、槇文彦のスパイラルも大好き。観たらなんとなくわかるだろうけど、卒業設計もけっこういいものを作っていて、今紹介してくれた《松前君の日記帳》っていうそのあと映画につながるような、A1用紙18枚。ほら、ここにも中学の頃に設計した図面があるよ[写真22]。

——

千葉 今大木さんいろいろ広げて見せてくださいましたが、中身を見られないから、それが何なのかわからないというものもけっこうあって、そこも面白い重要なポイントかなと思います。それが何かというのを、私たちに示すことが重要なのではない。今ここにあるというただそのことが重要といいますか。そして、偶然にも大木さんが今アクションをしたことで、今まで見えなかった貴重なものが露わになった。

大木さんの展示のなかには映像の要素だけではなく、パフォーマンスや即興的要素、時代性や場所性をもったさまざまなインスタレーション的要素があり、また建築的要素もあり、それぞれがポリフォニーのような状態を目指したのが今回の展示です。会期も残りわずかですがこれが、カオスになっていかないように(笑)。

——

大木 展示が拡散・拡大していくという意味では、17日までですね。その次の週はもう搬出パフォーマンスです。しまい方にもいろんな大事なことが出てくると思っているので、20日から23日の搬出パフォーマンスでは普段はなかなか見えないような動きが見れるんじゃないかなと思っています[写真23]。

1、

と、イ、って、

なにが、うつされるのでしょうか？

と、まず、問いかけます、

2、

しかし、コミュニティーの内外では、

まず、息の根が、必需品で、その時に、なにをどう、

うつされるのでしょうか？の問いかけが、

あんがい静かに、静かに、静かに語られました。

3、

つまり、歴史的判断の尺度は、おおっぴらには

できないなかで、が着実に物質と身体の交接の、

循環を愛がつつむ形で、ここに、とらさんとシテ。

4、

とらさんとシテ、墨汁とシテえがかれる可能性

が、うつされるときの、ときめきが、針！

「いつっ？」「いつっ？」「いつっ？」

その多くの声のながレが、みずいろの声をキく

時、メキ、と、大きく内容を「ああっ！、ああっ！ああっ？」

5、

やっ、うつし、針うつし、

6、

かんぱい

7、

の記録とシテ

8、

心からようこそ！！！

ゆっくり、と、はや

9、

青戸の事務所をでます、朝9時

大木

千葉さま、神さま、

大木裕之

1)

Well, my first question is,

when one says ques-tion

what is it that is shown?

2)

However, inside and outside the community, first of all,

life is a necessity, and there the question of what is shown

and how, was discussed more quietly, quietly, and quietly

than anticipated.

3)

In other words, while the measure of historical judgment

cannot be made open, the steady interconnection between

matter and body, in the form of love encompassing

circulation, here, let's say, is tiger.

4)

The possibility of being depicted as tiger, and as ink,

And when it is shown, the sheer excitement is the needle!

"When?" "When?" "When?"

The echoes of those many voices, listen to a pale blue voice

Excite-ment, and the content in a drastic way,

"Oh!, Oh!, Oh?"

5)

Wait, show it, show the needle

6)

Cheers

7)

Or at least it's a document of it

8)

I welcome you from the bottom of my heart !!!

Slowly, and quickly

9)

It's 9AM, I'm leaving my office in Aoto now

Oki

Ms. Chiba, Ms. Jin,

Hiroyuki Oki

Have something that defines my judgment 93

必然のなかで

あの時のあれと今のこの状況とには何かしらの因果関係がある。私の選択や行動は、たとえ明確に意図したり意識したりしていなくとも、そうなるようになっていたし、この先もなっている。大木の今回の展示で何より実感したことを口にするなら、こうなるだろうか。それは、個々の作品に限らず、作品同士の関係や展示に至るプロセス、会期中の一連の行動など全てに当てはまる。大木がしばしば、しかるべきタイミングでアクションが自身に訪れるといった類のことを言うのもこれと同意だろう。言い換えればつまり、大木の作品は一個のものとして必ずしも完結していない。実際、驚くほど多くの展覧会に参加しながら、常に断片的で、掴みがたい印象を与えるのも、これが理由なのではないか。だから彼については、いわゆる作品評価とは別の次元、別の語りが必要とされるだろう。大学時代に撮影した《彩りの彼方へ!》(1982年)にはじまり、現在進行形の《とらさんの墨汁針》(2022年−)まで、40年の活動からおよそ10年単位で選んだ作品(当初は12年という干支単位で考えていた)と定番のインスタレーションから成る本展は、大木の作品をこうした網の目状の繋がりのなかで捉える機会になったのではないか。

そもそも展覧会タイトルからして意味深長である。「とらさん」「墨汁」は冗談のようだが映画『寅さん』に由来し、馬喰町にあるαMでの展示に、東京の「東側」、葛飾区に数年前から拠点の一つを置くことになった自身との機縁を認めてのことである。東京の西育ちで、高知と岡山にも拠点を置き、移動を繰り返しながら生活、制作、展示を続ける大木にとって初めての「東なるもの」の経験は、彼のなかで墨田川から遡って北陸・北関東の歴史や震災の歴史にも接続し、『濹東綺譚』など同地ゆかりの本や映画、あるいはもっと単純にチラシや買い物のレシートなどの事物を介して会場のインスタレーション中に潜んでいる。

8mmフィルムで撮影された初期作品《夏至の子》(1990年)は、川辺で遊ぶ子供の姿が印象的だが、その誰もが経験したはずの限られた特別な時間への共感が引き起こす刹那的な感覚は、会場に持ち込まれた大木の子供時代の絵日記にも通じるだろう。ただし、会場にあるものは手に取ることができないから、この日記を私たちが読むことはない。それは、説明的な仕掛けとしてではなく、あくまで

も大木にとって今ここにあることの必然として、ただある。

12年後の《マ》(2002−2005年)は、フィルムとヴィデオの両方で撮影された作品で、湿り気を帯びたフィルムの画面が、突如としてクリアでカラッとした画面へと切り替わり、カメラを手にした大木自身の姿も時折映る。ヴィデオの登場は大木の撮影を大きく変えていくことになっただろう。フィルムのように時間を気にする必要がなく、撮りっぱなしの長時間撮影が可能になったことで《M・I →2012》(2000−2012年)など、複数年におよぶ作品も制作されるようになったのではないか。そこに断続的な形で、大木がその都度経験した複数の時間や場所が織り込まれるのは必至である。

そして珍しくも住宅平面図が本展を象徴する一つを成す。大木が大学で建築を専攻したのは知られた話だが、彼にとっての建築とは、構造物としてのそれでなく、あくまでも私たちの生の全体を包括する空間を指し、生身の人間の活動を前提としていた。してみれば、毎日の移動に伴い澱のように蓄積されていく事物を取り込み、彼が関係した様々な場所と長い時間とを収めた映画と実際の事物のあれこれを一緒に空間のなかに見せることは、いっそう彼の考える建築に通じているといえるのではないか。そして、それは必然的に、自律と他律の間にあって、個人的な領分を超えて私たちに届くのだろう。

千葉真智子

Amid the Inevitable

There is some kind of causal relationship between that which happened back then and the present situation. One's choices and actions were and will continue to be this way, regardless of whether one is explicitly conscious of it or intends for it to be so. Such is how I might express what I felt most strongly in terms of Oki's exhibition. This applies not only to individual works, but also to the relationship between works, the process leading up to the exhibition, and the series of actions that took place during the exhibition period. Oki himself often mentions that actions come to him at the appropriate time, and one suspects that it is in line with this idea. In other words, Oki's individual works are not necessarily complete on their own. In fact, this may be the reason why, despite participating in an astonishing number of exhibitions, one always gains the impression that his work is fragmentary and elusive. Therefore, an approach and narrative that is in a different dimension to conventional critique or evaluation is indeed required in discussing his works. Starting with *Colors calling, far!* (1982) taken during his time at university, to the on-going work *tiger/needle* (2022–), this exhibition consists of works selected in 10-year increments from amongst his career of 40 years (initially the idea was to select in 12-year increments in correspondence to the Chinese zodiac) as well as an installation. One believes that the exhibition created an opportunity to view Oki's works within the context of this web of connections.

To begin with, the title of the exhibition is profoundly meaningful. Although the words "tiger" and "needle" may seem like a joke, they are in fact derived from the "Tora-san" film series ("Tora-san" being the name of the main character, with "tora" also meaning "tiger" in Japanese) and also acknowledges the connection between this exhibition at gallery *α* M in the Bakurocho neighborhood and the artist himself, who among other places, has also been based in the Katsushika Ward in the "east side" of Tokyo over the past several years (Katsushika also being the hometown of "Tora-san").

Raised in the west of Tokyo, with bases in Kochi and Okayama as well, Oki lives, works, and exhibits in a continual state of mobility. His first experience of "the east" is linked to the history of the Hokuriku and northern Kanto regions that extend up and beyond the Sumida River, as well as to the history of the earthquake and tsunami that occurred there. Suggestions of this are subtly presented here and there throughout the installation through books and films related to the area, such as *A Strange Tale from East of the River*, or more simply, through things such as flyers and shopping receipts.

His early work *Midsummer Child* (1990), shot on 8mm film, is impressionable for its footage of two boys playing by the river. The sense of ephemerality evoked through empathy for this limited and special moment in time that we all must have experienced at one point in our lives, can be observed in Oki's childhood picture diary as well, which is also included in this exhibition. However, we cannot learn the contents of this diary since we are unable to take it in our hands and read it. It is there not as an explanatory device, but only as an inevitable part of Oki being present here and now.

Produced twelve years later, *MA* (2002–2005) is a work shot on both film and video, in which a hazy film screen suddenly switches to a clear, crisp image, occasionally showing Oki himself with a camera in his hand. The advent of video had brought about dramatic changes to Oki's filming process. The ability to shoot for an extended duration without the need to worry about time, as was the case with film, made it possible for Oki to produce works that spanned multiple years, such as *M.I.→2012* (2000–2012). It is inevitable that multiple times and places that Oki experienced on each occasion had intermittently been interwoven into this work.

Unusually, the floor plan of a house serves as one of the symbolic elements of this exhibition. It is well known that Oki majored in architecture at university, but for him, architecture is not a mere structure, but rather a space that encompasses our entire life, and is based on the activity of actual humans in the flesh. In this sense, taking in things that accumulate like dregs as he goes about his day-to-day, and presenting them in a space together with films that capture the various places and long periods of time with which he has been involved along with numerous objects, indeed seem to be more in line with his idea of architecture. Inevitably, it is that which lies between autonomy and heteronomy, and reaches us beyond our personal domain.

Machiko Chiba

主体不在の作品

高嶋＋中川による映像作品を見ると、いつも「カメラ」の存在を、「カメラ」が撮っているということを、強く意識させられる。

近年、映像の使用はアートにおける常套手段となり、もはや誰もが気安く手を出すことのできるメディアになったが、そのことは却って「カメラが何であるか」を、「映像が何であるか」を、「なぜ映像で表現しなければならないのか」を不問にしたともいえる。そこでは何を語るかが主要な関心事であり、カメラは透明なメディウムと化す。おそらく多くの場合。そして私たちはといえば、流れる映像だけでなく、ともするとそれ以上に、そこで話されている言葉、流れる字幕に注意を払うことになる。
映像経験とは何だろうか。

比較のために古い例を持ち出すと、ジガ・ヴェルトフの『カメラを持った男』の衝撃とは、その内容にではなく、肉眼では経験不可能な視覚を「キノ・グラース（カメラの眼）」が明るみにしたことにあった。私たちはカメラの眼に自分の眼を重ね、カメラが私たちの視覚経験を補完し、変容させる。映像の溢れる現在において、私たちはもはや違和やギャップを自覚することさえなくなったが、そのなかにあって高嶋＋中川は、あえて「カメラの眼」から問いを先鋭化させる。彼らの映像作品が ── 彼らの狙いではなかったとしても ──、しばしば、肌理というべきテクスチャーや崇高と呼びたくなるような感情を引き起こすとしたら、それはその映像が、私たちの日常的な視覚経験との間に決定的な亀裂を引き起こすからだろう。持続する違和のなかで、私たちはカメラの眼に、身体に、決して同化できない。

カメラはいっそう機械として顕在化しながら、まるで操作する撮影者にも、被写体にも関心を払うことのない、独立した生き物となる。私たちが映像作品として見ているのは、一心不乱に動き回るカメラの眼に映り込んだ荒涼とした世界の姿である。
主体不在の映像。それは私たちの判断をも不問にするのだろうか。

千葉真智子

A Work Without a Subject

When viewing the video works of Takashima + Nakagawa, one is always made strongly aware of the presence of the "camera" and the fact that the "camera" is that which is filming the footage.

In recent years, the use of video has become a common practice in art, and it is now indeed a medium that anyone can easily employ. On the contrary, questions are no longer raised as to "what the camera is," "what video is," and "why it is necessary to use video as a means of expression." The main concern is what is communicated through the work, and the camera itself is often rendered a transparent medium. We as viewers pay attention not only to the moving images, but perhaps even more so to the words that are spoken, and the subtitles that are displayed on the screen.
What is the experience of video?

To raise an old example for comparison, the sheer impact of Dziga Vertov's *Man with a Movie Camera* was not as a result of its content, but rather, was the fact that the "Kino-Eye" (Cine-Eye, or eyes of the camera) had managed to capture that which was inaccessible to the human eye. We overlay our own eyes upon the eyes of the camera, enabling the camera to complement and transform our visual experience. In our contemporary world that is home to a plethora of images, we are no longer aware of such incongruities or gaps, yet even in the midst of this Takashima + Nakagawa deliberately attempt to visit questions surrounding the experience of video from this perspective of the "eye of the camera."
Whether intended or not, should their video works often evoke textures and emotions that could be indeed described as sublime, it is likely because the images cause a decisive rift between us and our daily visual experience. While subjected to this persistent incongruity, we can never become one with the eye or body of the camera.

While the camera's presence as a machine becomes more clearly manifest, it also transforms into an independent creature that pays no interest to the person operating it or the subject that it captures. What we see as the video work is the image of a desolate world reflected in the eyes of a camera that moves around in an intensely preoccupied manner. A video without a Subject. One wonders whether it is something that makes us disregard our judgment as well.

Machiko Chiba

Shinichi Takashima +
Shu Nakagawa

Negligible

高嶋晋一＋中川周

無視できる

Have something that defines my judgment

Shinichi Takashima + Shu Nakagawa: Negligible

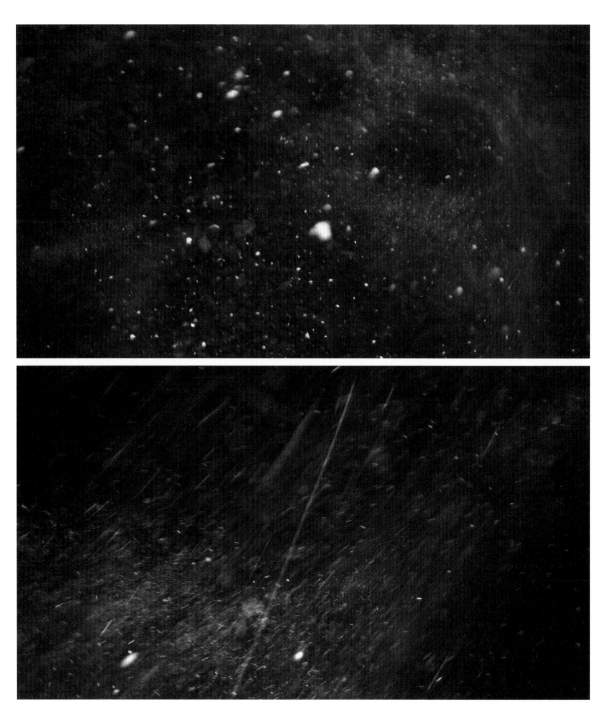

2《Negligible #2》

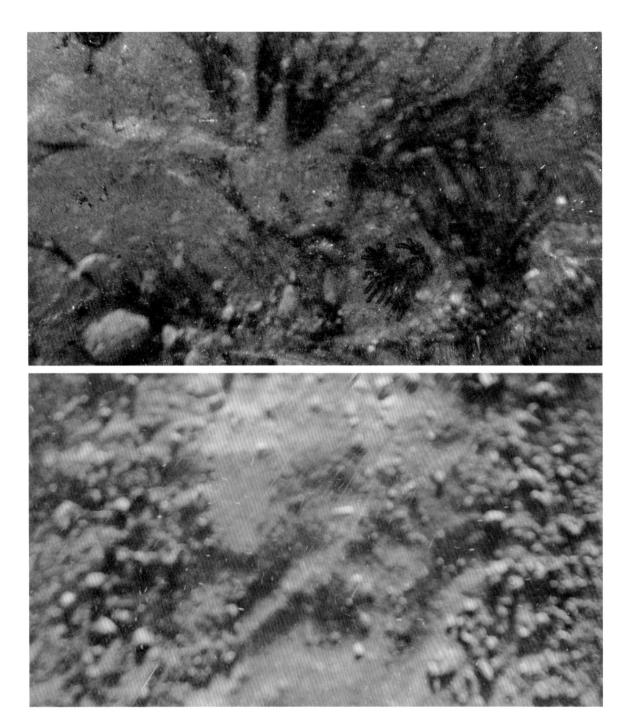

1 《Negligible #1》

pp. 102–103   5 〈No Experience Necessary〉 Series

Have something that defines my judgment

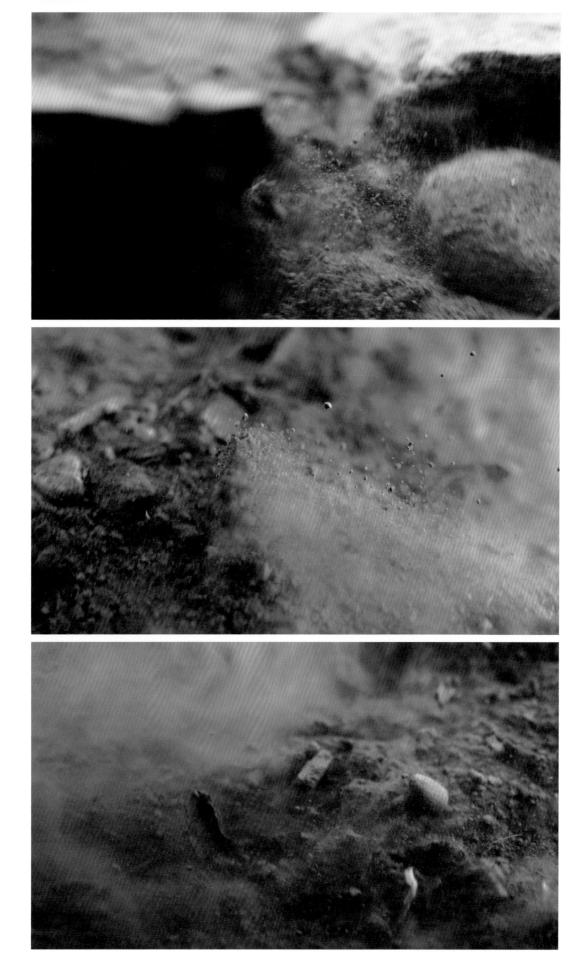

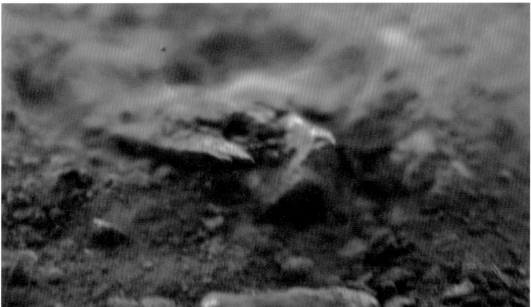

無視できる

物理学や工学で、「無視できる」という言葉は、誤差の範囲内、許容範囲に収まる計測対象に対して用いられる。また数学ではしばしば、無限小の概念に関連して、この語を用いる。無視の対象は差異である。「無視できる」といってもそれは特定の関係として記述されなければならず、その記述の形式下において影響力のない差異であると表現される。そして、無限がそうであるように、そもそも私たちが直に経験できないものでも「無視できる」とみなされうる。

一般に、「無視すること / 無視しないこと」の関係は対称的である。それゆえ、どちらかを選ぶことも含めて行為になる。つまり「無視できる」の「できる」とは「見ないことができる」というよりも「見ることも見ないこともできる」を意味する。その際、無視の対象は感覚され把握されていることが前提になっており、先取して測られている。感受できるから無視もできるのだ。それにしても、感受できるから無視できるのではなく、感受できないものであっても無視できるとは、一体どういうことなのか。

「無視できる」と似た言葉で、計算では「数字を丸める（切り上げ・切り捨て・四捨五入の操作）」という言い回しもある。だが制作においては、何なのかわからないまま扱っているという事態も起こるのだから、いわば「使用への丸め」が重要になるだろう。

1

「犬って象くらいの大きさになれるかしら」「なれないわ。だってもし犬が象くらいの大きさになったら、その犬は、象のように見えるでしょ、だからよ」。*1

2

小さすぎる砂粒には躓けない。大きすぎる岩にも躓けない。そもそも私は自分から躓くことはできない。私を躓かせるのは石だけだ。

3

誰もが皆本当はパリに行こうとしている。なるほどパリに行かぬ人もいる。だが、そうした人たちの動きはすべてパリに行く準備なのだ。*2

4

ハチは渦を巻く。しかし渦を巻く姿を誰も目撃していないので、ハチは飛ぶことができる。ハチは飛ぶ。しかし飛ぶ姿を自分自身が見ることはないので、ハチは渦を巻くことができる。

高嶋晋一＋中川周

*1　スティーヴン・ジェイ・グールド『ダーウィン以来 ── 進化論への招待』浦本昌紀・寺田鴻訳、ハヤカワ文庫 NF、1995年、pp. 268‒269
*2　アリス・アンブローズ編『ウィトゲンシュタインの講義 ケンブリッジ 1932‒1935年』野矢茂樹訳、講談社学術文庫、2013年、p. 75

In physics and engineering, the term "negligible" is used to refer to things that can be measured within a margin of error or acceptable range.

Mathematics also often uses the term in connection with the concept of infinitesimals. The object of negligence here, is difference. "Negligible" however, must be employed in the context of a particular relationship, and expressed as a non-influential difference under the formalities of that context. And as is the case with infinity, things that we cannot directly experience ourselves are also deemed "negligible."

In general, the relationship between "negligence / non-negligence" is in symmetry. Therefore, even the mere choice of one over another becomes an act in itself. In other words, the "able" in "negligible" means that it is "possible to look at something or not look at something" rather than simply "not looking." As such, it is assumed that the object of neglect is perceived, acknowledged, and measured in advance to begin with. It is possible to neglect something because it can be perceived. Then what indeed does it mean to be able to neglect things that cannot even be perceived, rather than just being able to neglect what can be felt?

There is an expression that is somewhat synonymous with "negligible" and that is the phrase, "rounding numbers (rounding up, rounding down, and rounding off)" when engaging in calculation. However in the context of production (of works of art) there are situations when one is dealing with something without knowing what exactly it is, so it is perhaps important to "round it off its use," so to speak.

1

"'Can a dog be as large as an elephant?'"
"'No if it were as big as an elephant, it would look like an elephant.'"[1]

2

You cannot stumble over a grain of sand as it is too small. Nor can you stumble over a rock as it is too large. It is not possible to stumble on one's own accord in the first place. The only thing that can make me stumble is a stone.

3

"Everybody is really going to Paris. True, some don't get there, but all their movements are preliminary." [2]

4

Bees swirl. However, since no one witness them swirling, they are regarded as being "in flight." Bees fly. Still, as bees do not see themselves flying, they are able to swirl.

Shinichi Takashima + Shu Nakagawa

[1] Stephen Jay Gould, *Ever Since Darwin: Reflections in Natural History*, New York: Norton, 1977, p. 178.
[2] Alice Ambrose (ed), *Wittgenstein's Lectures, Cambridge, 1932-1935*, Totowa: Rowman and Littlefield, 1979, p. 16.

高嶋晋一＋中川周×千葉真智子

2023年2月4日[土]18:00–

千葉「判断の尺度」という全体テーマで、一年間で全5回の企画をしてきました。その最後の回として、高嶋さんと中川さんによる映像ユニットに展示していただいています。お二人の作品は、カメラ自体、カメラが何かを撮っているという、その避け難い事実、強烈な強度があると思うのですが、そのとき作者はどこにいるのか、その主体性はどこにあるのか、ということが見ていて常に気になっていました。映像を撮っている者ははたしてカメラの背後にいるのか。映像を撮っている主体はどこにあるのか。どんなメディウムを使うにせよ、アートに携わる場合には、「主体」というものが結局どこにあるのか、あるいは、そういうものがなくても成立するのかなどといった問題がつきまといますが、お二人の映像作品を見ていると、主体性を考える際に判断保留が起こるようなところがあって、そこが何より私が関心をもっている点です。今も昔も無数の映像作家が存在しますが、ここまでカメラという存在に固執し、それに特化して制作している作家は少ないように思います。またその作品は、作者であるお二人というよりは、カメラの眼それ自体が何かを捉えている、カメラが勝手に駆動して映ったものがここに残っている、という稀有な感触があります。単一の作者という主体性がない作品、少なくともそれが前景化していない作品だとも言える。お二人の作品に特徴的な「カメラのカメラ性」は、私自身が主体の問題を何がしか考えた際に引っかかるところと、とてもリンクする気がしているのです。ですので今日はそうした問題も含めて、話を進めていけたらと思っています。

──

高嶋「作者という主体性がない作品」という評価はなかなかアクロバティックですね。「主体性がない」という形容はおそらくアートでは貶し言葉で、「作品に作者の主体性がない」と言ったらそれはある種、減点対象ですよね。でも今回のような場、「作品は何らかのオーソリティ（権威性、信頼性）を有している作者によって束ねられる」とか「作者が何らかのメディウムないし表現手段を使ってある意図を実現する」という古風な図式に沿ってしまいがちな「アーティストトーク」という形式で話をするということは、どうしてもオーソリティの主体を問うことと切り離しがたいのかもしれません。

ただ一般に、映像というメディウムは、かなりの部分がその撮影機器や投影機器などに依拠している複製技術、製品なので、絵具や粘土などの素材を扱う場合とは表現の条件が異なってきますよね。映像メディアを扱うアーティストの試行錯誤によって実現されていることと、映像メディアの製造工程に含まれている可能性が実現していることの違いをその作品から明瞭に区別することって、実はなかなか難しいことなのではないでしょうか。また、受容する側の観点から言うと、そもそも映像って、別にはじめに作者を想定して見るものでもない、とも言えますよね。むしろそれを見る誰もが、まず何が映っているのかを見ますよね。というか否が応でも被写体を、画面に映っていて目に見えている対象を、とりわけ動いている対象を見てしまいますよね。つまり映像は、絵画や彫刻のようには、「作者のオリジナリティ」なるものがあらかじめ安定して確保されている媒体ではないわけです。作者というポジションにまつわる「誰が作っているのか」や「誰が撮っているか」という問いは、映像の場合後発的なもので、「何が映っているのかよくわからない」「なぜこんなものをわざわざ撮ったのかわからない」などといった疑問が生じた場合にはじめて「誰が」が問われるのであって、「見えているものを見る」とか「動いているものを見る」という非常に素朴で、慣性（惰性）的とも言える次元のほうが、大きく占めているものだと思うんです。

なので一口に「主体の問題」と言っても、僕はどちらかというと、「作者の意図」とかいう芸術の制度的な次元以前の、動いているものを見て、そ

の動きの背後に原因や動機を読むこと、つまり運動の主体を問うこと、あるいは運動が主体性を生み出すというモメントを問うことのほうに関心があります。それも、運動そのものの把握しがたさと、運動の主体の確定しがたさが重なってくる局面のほうに。

それで、通常「映像を見る」とは撮られたもの、画面内に映っているものを見ることですけれど、高嶋＋中川の映像は、人間の姿が映っておらず、映っている対象があったとしても自らそんなに動かないものが多く、そこで中心になっている運動はもっぱら、画面内に直には姿を現わさないカメラ自体の運動です。カメラそのものはカメラが映し出す当の画面内には映らない。つまり、さまざまな像を可能にするその中心にあるものは、像として現われないがゆえに盲点になっている。このある種の原理的な盲点ないし不在性、「誰によって見られている光景なのか不確定である」という映像の特徴に、僕らはずっと着目してきました。さまざまな食べ物を味わえても自分自身の唾液の味は認識しづらいのとちょうど同じように、さまざまな差異を把握するその中心にあるものは、なぜか無味無色無臭に透明化し、いわば「不在」になるのですが、映像の場合は何よりカメラという存在がそうです。それは「何かを見るためには光が必要だが、では光そのものを見ることはできるのか」といった視覚のアポリアとも通底している、メディウムをめぐる認識論的な問題です。

映像が映像である所以は──「見えているだけで触ることができない」という基本的な特徴も踏まえて一般化して言えば──一方で現実と関係を取り結びながら他方で現実から離脱・乖離するという二重性にあります。この二重性は、カメラという撮影機材が物体として物理的に存在していて、それ固有の大きさや重さがあり、何がしかの場所を占めているにもかかわらず、結果として映し出される映像は、そうしたカメラ自身の質量を打ち消すことで実現するということと、おそらく通底しています。「映像は現実を反映している。だが、映像は現実そのものではない」。「カメラが物理的で物質的な存在であることを私たちは無視できる。それゆえ、映像は映像として私たちに見られるものになる」。僕らの映像作品は、映像の前提条件とも言えるこの二つの関係を主に扱っているのではないかと思います。

──

中川 カメラそのものが見えないということは、カメラが動く場合に、その運動の主体が見えないということですよね。でも、そこにこそ映像に固有の運動を感じてしまう。画面が揺れている映像を見ると乗り物酔いのようになってしまったりすることが、映像を見る際にはよく起こっているわけですが、そもそも「運動しているもの自体は見えていないのにそこに運動を感じてしまう」って不思議なことじゃないですか？ たとえばカメラを前に移動させて撮られた映像を見て「前に進んでいるな」と感じてしまうことだとか、そこに速さ、速いとか遅いということを感じてしまうことだとか、「動いたら進んだ」ことになってその空間のどこにいるのかも変わっていくと感じる、とかいうようなこと。それはつまり、映像を見ているとき、私たちは単に見えている対象、被写体だけを追って見ているのではない、ということですよね？ この「進んだ」という感じは、いったいどこに属しているのか。映像の経験の不可思議さというのは、ベーシックにまず、この「乗り物」的な移動の感覚にある気がします。

──

高嶋 中川さんが今おっしゃったように、一番オーソドックスな映像のモデルとして「乗り物」っていうものがありますよね。それがベタな意味で映像と写真との違いだと言えます。写真というスチルを見ていても乗り物に乗っているとはあまり感じないけれど、映像つまりムービーの場合には、何かしら移動の感覚がベースにある。

運動のまさにその最中、渦中にあるときの運動そのものの把握しがたさ、ということと関わる点なんですが、「乗り物に乗っている」という経験をモデルにして映像を考えた場合、奇妙なのは、その「乗り物」が像（図）なのか場所（地）なのかが交錯し、区別しがたいように思えるところです。た

とえばエスカレーターや動く歩道などのベルトコンベア型の移送装置って、乗り「物」なのか居「場所」なのか、よくわからない気がしませんか？というより、「場所」としてオブジェクト化された移動が、映像なのかな。映像の見えと肉眼の知覚が異なるのは――カメラ自体が画面内に映らないことと見ている私自身の姿を私はじかに見ることができないということとは構造的に同型ですが――一方は明確な限界、画面の縁がある（いつでもその限界も見る対象になりうる）のに対し、他方はそうした明確な限界がないことです。四角いフレームは限界が見えずに拡がっている私たちの視野を区切り、オブジェクトのごとく扱えるかのように作用しています。

ところで、エスカレーターや動く歩道って大雑把に言って、誰が載っているときも誰も載っていないときもいつも同じように動いているものと、誰かが載っているときには動くが誰も載っていないときには止まっているものと二種類ありますよね。「映像を見はじめること」と「映像のなかに入ること」のズレなどと照らし合わせてみると、とりわけ後者が興味深いと思うんです。誰かがその面に載ることが引き金、スイッチになって動きはじめるベルトコンベアは、我が身が投げ入れられ足裏がそこに触れるときはじめて始動するのだけれど、ということはつまり、動く誰かの動き出しよりベルトコンベアの動き出しはわずかだけど確実に遅れるということです。最初の一歩がほとんど同時なのにズレている。そのわずかなズレの感触こそ、動きはじめた動く歩道が以降同じように動き続けているという、継起的な「次から次へと」の感触とは異なった、はじまりの感触です。ベルトコンベア型の乗り物モデルのこうした発端、つまり「乗車」のフェーズもまた、「進んでいるように感じる」のとはまた別の、映像の渦中に現に巻き込まれるときの固有の感覚と対応させて考えられるかもしれません。

――

中川　映像を見てそれを乗り物のように経験しているっていうこと、カメラの可動性はたぶん映画だとよく利用されることだと思うんです。しかしその場合には、物語の進展や登場人物の感情といったものに観る側の視点を一致させるために、つまりドライブしたりユニゾンすることに寄与するかたちでカメラが使われています。対しては今回展示されている映像は――過去作はもっと映画的な要素があったんですが――ほとんど編集もしていないワンテイクの長回しで、カットを切り分けたり組み合わせたりしてないので、まとめ方としては映画とだいぶかけ離れているように思えます。ただ、「乗り物」という観点を採るなら、そうした違いは観る側が映像に巻き込まれることを許容するかどうか、「巻き込まれたほうが得だ」と思うかどうかといった、その選択の自由度や拘束力に関わるようなことだと思います。

――

高嶋　ここ１、２年に発表した作品とそれ以前の作品との違いをざっくり言いますと、以前は全編通して見ると20分から40分くらいかかる、美術展で見る映像としては比較的長めの映像が主なものでした。モンタージュ的に組み立てられたシークエンスもあるけど、個々のカットの独立性は強い。劇映画のようなわかりやすいストーリーはないけれど、何かしら暗示的にナラティビティを組み立てる、という志向が過去作には共通してあります。そしてそうした志向の、とりあえずの集大成に当たるのが《standstill》という2017年の作品です。

僕らの活動のはじめは、映像の個々のカットの独立性を保ちながら、かつそれを1970年初頭の現代美術の映像によくあったような、撮りっぱなしで無編集のリアルタイムの60分というフォーマットではなくて、映画と同様、撮影だけでなく編集作業が制作過程のキーになるようなフォーマットで作っていました。ループではなく始めと終わりがあり、ある一つの意図をもって順序を構成するというフォーマットですね。ですが最近の作品は、どちらかと言えば初期の実験映画や構造映画のように、撮影したものを編集は最小限にして（テイクの取捨選択はするけれど）ザクッと生に切り出す、という仕方に結果的になっている。この最近の傾向が、一度は否認したコンテクストへのある種の先祖返りなのかどうかはともかく――過去

作をご覧になっていない方は「何のことやら」という話だと思いますが――それ以外にも今回の出品作にはもう一つ、これまでの作品と対照的な際立った特徴があります。

今までは画面がフラットで、近代美術の様式で言ったら、形而上絵画やノイエ・ザッハリヒカイトに近いような平坦さと断絶の感触があった。具体的には自然物や人工物の破片が前景にある荒廃した無人風景を撮っているのだけど、形式的には地と図がパキッと分かれていて、それらが馴染み合わず、いわば「あいだに空気がない」感じ、一言でいうと「真空状態」を特徴としていたわけです。わかりやすいイメージとしては、人々も他の生き物も物体もすべて死に絶えたように停止してみえる街に迷い込む男の話、広瀬正の短編SF「化石の街」の世界ですね。実は停止していたのではなく、通常の時間スケールと著しく異なる遅い速度で時間が流れているだけで、街の一日は主人公の一秒程度に相当するというロジックなのですが、この小説で重要なシーンは、何もかもカチンコチンに凍って不動としか思えないことに怯えて、「何でもいいから何か動いているものが見たい」という痛切な願望が主人公に生じるところです。見たいものが何もないとき彼は何を見たのか？　というと、冷却ファンを見たんですね（笑）。冷却ファンだけは回転速度が早いから辛うじて動いてみえたのです。すべての事物が時間を含んでいないから当然食べ物もカチコチで食べることができずに、自分以外で唯一動いている冷却ファンの動きをぼーっと眺めながら、結局は餓死してしまうという話。《standstill》や《Dig a Hole in a Hole（Homogenize）》2018、《Landed》2019あたりの作品が狙っていた、呼吸できる動きを感じさせない真空状態というのは、そうした特異な状況に近いのです。

で、それに対して最近は、クッキリとザッハリヒカイトな輪郭のモノしかない状況ではなく、中間にある大気的だったり流体的だったりするような、ミクロなレベルを感じさせる粒子状のもの――具体的なモチーフとしては土とか小石とか砂――ばかりを撮っている。あるかないか、つまり1か0かがパキッと分かれているそれまでの「真空状態」的な空間の質に比べたら、1と0のあいだのグレーゾーンの、柔らかくも硬くも思える肌理を拾っていて、安直な連想かもしれませんがターナーの絵画のような、オールオーヴァーだけど平面的ではない質の空間になっていると思います。カメラ自体の運動が「水無し川に水を流す」というか、妙な厚みをもつ質を作っている。実際には摩擦と抵抗しか起きていないのに、全体がなだらかでひとつながりの流動体のようにみえるというか。「空」と「大気」って同じものではないですが、以前の作品は前者の感じを突き詰めることに、今は後者の感じを探ることに変化してきている。

――

千葉　その変化というのは、何か唐突なきっかけがあったとかではなくて、ある程度やり切ったという感触があったから次に展開していこうと思った、ということでしょうか？　今回の展示では、新作と少し前のSprout Curationでの個展「経験不問」2022で展示した作品の両方があって、《No Experience Necessary #1》はそのSprout Curationの出展作なんですけど、ムービーとスチルの両方の組み合わせでできていて、動いている映像と止まった瞬間の場面とがたくさん出てきます。肌理や粒子というモチーフの話がありましたが、ムービーの状態を見ているときよりも、止まっているスチルの状態を見ているときのほうが逆に、粒子感や空気感を感じるところがあるようにも思えます。グレーゾーンないしグラデーションがあるところを拾っているとおっしゃっていましたが、ムービーの状態ではなく、むしろスチルが出てきたときにそれを強く感じました。

もう一点、映像が即物的で大気がなく真空状態に見えるという点については、ムービーを撮っている際にすでにそうしたパキッとした画面を作っているのか、それともそれがスチルが組み合わさったときに、静止画のある種のザッハリヒカイト的な切り取りとのギャップによって生じるのかも気になりますね。

高嶋　ベーシックな疑問ですけど、そもそも私たちはいったい何に動きを感じているのでしょうかね？端的に動いていることと、動きを感じることとのあいだには、何がしか奇妙な隙間があるように思えてしょうがないんですよね（それは、単に生理的な意味で生きていることと生きていると感じることとのギャップに似ています。自明すぎて、わざわざ「する」までもなくいつでもそうで「ある」がゆえにかえって意味不明なのが生きていることですが、動きもまた同様に、動けることが当たり前な者こそが、あらためて感じとり反芻しなければ意味不明なことなのです）。ハンス・リヒターというアーティストを今たまたま思い出したから例に出しますが、抽象映画っていうものがあるじゃないですか。リヒターの抽象映画は、幾何学的な矩形が画面上で前後左右にミョーンと動いたりしてますよね。それとたとえばモンドリアンの抽象絵画を比べるとどちらにより運動を感じると言えるのか、と悩むことがあるんです。というのは、抽象絵画をベタにアニメーション化して抽象映画にした作品を見ると、逆に動きが失われている気がするからです。モンドリアンの絵は言うまでもなく実際には動いていないし、奥行きを示唆する斜線を一切禁じているから一瞥するだけだと平板なんだけど、「見る」という運動が介在することによってドラスティックに変貌することがある。「実際には動いていない」っていう事実との落差でイリュージョンのレベルが確保される、とも言えるわけですが、ともかく、ある種の絵画はリテラルには動いていないにもかかわらず「動き」が生じ、しかしそれが抽象映画やキネティックアートのようにそのまま実現してしまうと、凍結し停止しているものから観る側が動きを拾い上げていくという操作、「この私に見えている」ということから生じる運動が、対象自体の運動を解凍するという操作が必要なくなって、悪い意味で受動的に、つまり催眠状態のように、まったき動きのなかにただ巻き込まれてしまうだけになる。一言でいうと、観る側の能動性を誘発する力が減退するわけです。これは友人のダンサーが昔言っていたことで、千葉さんが《No Experience Necessary #1》のムービーとスチルの違いについておっしゃったことと似た指摘ですが、たとえば映像でダンスを見るよりも写真でダンスを踊っている姿を見るほうが動きを感じる、というような逆説もあるんじゃないか。

　人間の認識は構造的に、モノとして固定しモノとして切り分けようとする傾向がありますよね。動き（変化）から隔絶した、動かない（不変の）視点を設けること、捕えるというか標本状にピン留めにすることが認識なわけです。であるがゆえに他方で、この認識一般が抱える硬直傾向を振り払って、一旦固定したものから変化とか運動とか生命とかいったものを拾い上げていくという、逆のベクトルも働くと思うんです。その解凍、溶かし込みのベクトルが、絵画や彫刻といったスタティックな形式をもつ美術作品を読むこと、あるいはもっと広く運動一般の動機や原因を読んでいくことと連鎖している。そうしたディアレクティックがある。

　たとえば、カメラが完全に被写体と同じ速度で同じ方向に、並行して同距離を保って動くと画面全体としては動きが止まってみえる、ということがあるじゃないですか。背景は変わっていくのに、構図的には画面の中心にオブジェクトがずっと鎮座している。バージニア・リー・バートンの絵本『ちいさいおうち』状態かな？要するに、ある被写体の動きとカメラの動きが完全に同期したら、その全体の運動は逆に相殺されるということです。映像にはこういう基本的なトリックがあって、運動の渦中を収めようとするとかえって運動の感覚を失ってしまうということが起こる。だから単に静止画と動画の違いというよりも、何かしら固定点、静止した視点を作らないと、そもそも運動は運動として認識されにくいという問題も含んでいるんだと思います。

中川　最近の作風と過去の作品の違いについて、明確なきっかけとかは言いづらいのですが、高嶋さんが話されていたような運動とスチルの問題をもう少し「解像度」ということにつなげて考えられるといいと思うんです。運動、つまり人間でいうと行為や動作することとその描写ないし記述との関係ですね。最近気になったトピックで、「蜂のパラドックス」という話があ

る。「蜂がどうやって飛んでいるのか」は今まで解明されていなくて、鳥や飛行機が飛ぶメカニズムで蜂が飛ぶことを説明できなかったらしいです。それがようやく最近、高速度カメラとそれを使ったシミュレーション技術によって解明されたらしくて、蜂が飛んでいるところをそのカメラで観察すると、実は蜂が羽ばたく瞬間に、鳥のように進行方向に対して垂直に揚力を作るのではなくて渦を作っている、ということがわかった。瞬間的に消えてしまうものだけど、すごい速さで羽ばたくことによって蜂は絶えず渦を発生させて、それによって飛んでいる。つまり「蜂は飛ぶ」と言うけれども、「蜂は渦を巻いている」とも言えるわけです。私たちは「鳥が飛ぶ」のと同じことのように「蜂が飛ぶ」と言ってしまっているけれど、日常的な「飛ぶ」という概念を「渦を巻く」という新たな別の描写によって書き換えることもなされる。こうしたことへの関心に連動して、徐々に作風が変わってきたと言えるかもしれません。

―

千葉　それはカメラが高性能になったから可能になったことだと言えませんか。私がお二人の作品を見たときに「カメラのカメラ性」みたいなものをすごく強く感じるのは、結局、私たちが日常的な視覚なり認知能力なりで、把捉できていない部分をまざまざと見せられる瞬間があるからだと思います。いわゆる「人間」という主体のスケールとは解離したことがそこで生じているわけです。蜂が渦を巻いていることも、近年のカメラが高性能だからこそ判明したことですよね？

―

高嶋　それもあると思いますが、やや違ったフェーズから言うとすると、「私たちは通常映像を見るものだと思って見ているけれど、この映像が映像である目的は、実は、人間が見ることじゃなかった」というような話なのかもしれません。これまで映像は見るものとして作られてきて、私たちは常に見ることを最終目的にして映像が撮られ続けていると思い込んでいます。ですがそこには、私たちが粗雑に、鳥も蜂も飛行機も風船もドローンも一括して「飛ぶもの」って分類してしまうのと同じような錯誤があって、映像なるものは実は見ること以外の目的で作られ、見ることに含まれないようなエンドを有している、という可能性があるんじゃないか……？これまで「飛ぶ」と一括されていたものらが、その特殊なメカニズムの解明によって、蜂なら「渦を巻く」という別の記述の仕方があった、というのと似て。しかしその場合、もはや「映像」という既存の呼称ではない、新しい呼称を見つけなくてはならないかもしれません。

―

千葉　それはまさに作品を見て感じるところでもあります。

―

高嶋　けどそれもやっぱり、それまでの認識の枠組みや、手持ちの語彙に折り返したときが問題ですね。そもそもこれが見ることを目的として作られていないと、どうしてお前が見てわかるのか？という問題。つまり、「世界が実在している、私がいようがいまいが、あるいは誰が見ていようとも誰一人として見る者がいなくとも、そんなこととはおかまいなく、確かにこの世界は存在している」と断定したくなるのに、そこで「私がいようがいまいが、この世界が実在しているということを私が現に意識している」ということが余分についてきてしまうという、ある種のジレンマがあるわけです。どんなに意識の外部があろうとも、その「意識の外部がある」という認識それ自体は、この意識を通してのみ、はじめて把捉される、というような。これはわりとオーソドックスにカント的というか現象学的な、ともかく超越論的な次元が関わるがゆえのジレンマですね。

　もちろんカメラは人間が作った道具で、僕らも普通に見るために撮っているんですよ。千葉さんがおっしゃるとおり「人間が見ることのできないような外部を見せてくれる」ということが、カメラが発明されたときの原初的な驚きだったことは間違いない。確かにそうなんですけど、しかし同時にその驚きにとどまることに耐えられないのも人間であって、必ず既存のもの、あるいは自明なものとしてその経験を回収しようとしますよね。たと

えば自分が子どもの頃にはじめて顕微鏡を覗いて「いつも見ているものなかにこんな未知の世界があったのか!」と驚いた経験を思い起こすと、それが発明された当時ならなおさら、認識論的な意味で脅威だったはずだと容易に想像できます。けれど、そうした既知の中に未知が含まれているという驚きは、「人間がこれまで見ることのできなかった領域もテクノロジーのおかげで見ることができる領域になりました」というような一元的な仕方で、均されてしまう傾向があるわけです。

——

<u>中川</u> どうしても「新しいテクノロジーによって新たな事実が発見された、もしくは解明された」ということになってしまいがちですが、しかし異なるニュアンスも含むはずの、別の例について話してもよいでしょうか。最近駅などで試験的に設置されてもいる「発電床」というものがあるらしいんです。床に圧電素子という振動を電圧に変換する装置が仕込まれていて、人間がその上を歩くことによって、床の振動によって発電するという仕組みです。そういったテクノロジーがどんどん実用化され洗練していったら、私たちが知らず知らずのうちに働かされていた、利用していたのではなく実は利用されていた、みたいなことが現実を覆っていくかもしれない。そこにもちろん倫理的な違和感はあるんですが、それと重なりもするけれどやや別の違和感も含まれていて、そちらのほうがより根本的なのではないかと僕は感じています。

どういうことかと言うと、私たちは普段歩いているとき、動いている脚が地面にかける圧力のことなんか、気にかけもしませんよね。自分の足の裏から床に伝わる振動というものを意識せずに歩いている。つまり、私たちの振る舞いのなかには、私たち自らが無視できることがある。「無視できる」とは、意識することができないのではなく、意識しないことができるということです。私たちが目的を有して行なうこと、意図して行なうことの背景に、私たちが無視できることによって作用する領域があるのではないでしょうか。もし歩いている人物に「何をしているのか」と問いかけたなら、「(これこれという)行き先に向かっている」とか「歩いている」とは言うかもしれないけれど、「地面を振動させている」とは言わないはずです。またその人は行きたかった場所に到着することは自分のなしたことに含めるけれど、地面を振動させることは自分のしたことには含めない、ということもポイントです。同じ一つの「歩く」という行為から因果的に派生することであっても、それらには違いがある。

僕が徒歩で、ある目的地に向かっている場合、それは自分がしている行為、自分の領域だという感じがする。でもどこかに向かって、あるいは単に歩いているつもりでも、床に振動が起こるという物理現象によって、実は自分は発電をしていることになる。物理的なのに、この全体はどういう因果関係に属しているのかわからない感じがするんです。振動から電気ができるということや、その振動という事実自体はどんな領域に何に属しているんだろう、というような違和感。

普通に考えれば、移動の運動に対して直接作用していないように感じる床の振動は、その行為の派生現象です。圧電素子は、振動を圧電効果によって電圧に変換する。その物理現象を土台に作られた発電床という装置は、歩くことの副産物として電気を作ることを可能にする。しかし副産物と主産物の関係が逆であったならどうでしょう。僕が歩くことは、どこかに移動するためではなく、実は電気を起こすためだった。歩くという行為は床を振動させ電気を作るという目的のための手段であって、現在いるのと異なった場所に着くということはその派生的な現象にすぎなかった。歩くという行為は、私たちが行なうもっとも基本的な運動であり、移動の手段であるはずですが、しかし私たちにとってこのもっとも基本的な行為を、それが何であるのか捉え違えているかもしれない、というような。発電床がもたらす奇妙な違和感は、手段と目的の関係が蓄積的であることが明らかになるような、そうした感覚です。先ほど挙げた「蜂は飛ぶ」から「蜂は渦を巻く」への記述改変が、いわば蜂自身の認識に作用する、というか。

——

高嶋 発電床も「乗り物」モデルの一つだとも言えるのかな。エスカレーターに乗っていて、乗ることで自分がそのエスカレーター自体を動かしていると感じることはあり得ないけど、発電床をモデルにするなら、そうなる感じかしら? ハムスターの回し車みたいに。いや、「まったく別のものの動因として、自分が接続されているかもしれない」というところがポイントだから、そうした「乗り物」モデルとはだいぶ違うのか。自分がすることのなかに、自分が司っているとは限らない起こること、ないし生じることがある。冬に木が葉を落とすのか葉が木から落ちるのか判別できないのと同様に、私たちにも「私がする」とも「私に起こる」とも言いがたい領域がある。私たちの振る舞いは、私たちの意図に回収できない。しかしまさにそうした意図に回収できない振る舞いが、何にも位置づけられない領域としてあるのではなく、まったく別の次元の目的に紐づけられていることがありうる、ということだよね。

——

中川 高嶋さんが先ほど言った「見ること以外の目的で作られる映像」とは、僕の言い方では「副産物としての映像」であり、それを考えるにはおそらく「乗り物」モデルから「発電床」モデルへの転換が必要になるのだと思います。となると問題は、移動するものと同一化し移動の渦中にある映像ではなく、移動の渦中にあってその運動に応じて生成される副産物であるような映像をいかに思考できるかです。私たちが何かを行なうと、そこにはさまざまな小さな現象や運動の連なりが生まれますが、物理的な領域で進行しているそれらの現象と、私たち生物による自律的で自発的なはずの振る舞いとのあいだには距離がある。この距離を縮めていくとはどのようなことなのでしょう? その距離を想像で縮めることで、「副産物としての映像」を思考したいと思うんです。

現在の私たちは筋肉があるから自分で動くことができるようになったわけですが、もっと太古に遡ってみて、単細胞生物、筋肉がない微生物はどうやって移動するのかというと、彼らは繊毛(せんもう)を使って水中を移動します。人間にとっての水とは異なり、微生物にとっての水はとってもドロドロしていて、そのなかでは揚力はないも同然なので、抗力によって推力を得ています。筋肉のない微生物がドロドロした水との接触で得ているのは、移動に必要不可欠な推力なわけです。抗力とは要するに、物体が他の物体に接触して力を及ぼす関係です。でも、私たちの足の裏が床に接触することと、微生物の繊毛がドロドロした水に接触することとは、同じことのようで同じではないように感じる。私たちが進化の過程で得た筋繊維は、ある種の現象を「無視できる」ことを可能にする要因なのではないか、と思っています。筋力ができる以前の生き物はいわば、発電することと歩行することが一致していた。筋力ができて神経系でき、脳もできてという進化の過程で、移動手段であるところの足元から感覚器官であるところの目がどんどん遠ざかっていき、そうした先に、私たちにとってのニュートラルな意識状態があるという、極端な捉え方かもしれませんが、そういったつながりを見てしまいたくなるというか……。

——

高嶋 動物であるところの私たちの、動くことの起源とその副作用という感じのヴィジョンですね。僕なんかは、意識なんてものは生存競争のなかで防御機制の一つとして生じたある種の副作用みたいなもので、その泡のような希薄さに耐えきれず自らのポジションを取り違えてぶくぶくと肥大化しているにすぎない、とか思っているところも若干あります。

少し具体的な作品の話に戻ると、今回出展した新作はまさに、どれもわりと足元から目元までの距離がベースになっています。つまり、人間の脚にせよカメラの三脚にせよ、脚そのものは対象としては映ってないけれど、脚の代わりに視線がどう延び、いかに地面にまで達しているか、その距離だけをひたすら確かめるようなものが多い。個別固有の身体を伴うがゆえのヒューマンスケールの距離が起点となって、そこからよりミクロな現象を見るというように、方法も対象もかなりミニマムに限定していると思います。イメージとしてはたとえば、1990年代のロックで「シューゲイザー」

という自分の足元しか見ずに観客のほうをほとんど見ないで演奏する内向的な人たちがいたのですが、そういう感じの、極端に狭められた空間性をベースにしていたところがあると思います。

千葉 映像には視覚と身体スケールとのある種の相互関係があるという話だと思うんですけど、今のお話だとそれは結構リテラルに作品の中で扱っているという感じですか？

高嶋 そうですね。思いっきりリテラルというか、作品で現にやっていることは極めてフィジカルだと思います。たとえば、観る側の身体が切り離されている感じが強いか弱いかということが、はじめに中川さんが言った「早く感じる／ゆっくりに感じる」という映像固有の速度の感覚と絡み合っている。《Island Rule》と《No Experience Necessary #1》を見比べたら面白いと思うんですけど、《No Experience Necessary #1》はある速度を伴って見えている像が一定の浮遊感をもっていて、だから身体から乖離している感覚が強い。でも《Island Rule》のほうは、ピンボケで中空を浮遊しているような上層的な視点からはじまり、それが突然地面に間近な距離の視点に変化するというようなスケールの移動が、全体としてはわりとゆっくりめのテンポで反復されています。じゃあなぜ《Island Rule》はよりダイレクトに、「身体的」だと感じるのか。どちらの作品もいろいろ装置を使って物理的に動かすということをやっているという点では同じように間接的であるにもかかわらず、喚起される身体のありさまが異なっているのはなぜなのか。それは《No Experience Necessary #1》がいわゆるオプティカル・イリュージョン的に、見えているものがただ目のなかだけで起こっているかのように身体が切り離されていることに加えて、動きそのものも見えているものを引き剥がそうとしている傾向があるのに対して、《Island Rule》は視覚的に見えている像とそこから喚起される身体をそのつど放ちながらもまた接着させるような運動の傾向があるからだと思います。ふとした拍子に消えてなくなりそうな身体を、特にその重みを放つことで確かめているような。喩えるなら、親に「高い高い」をされて揺さぶられている子どもの状況ですよね。ただしそれのもっと強引な、いきなり地面に突き落とされる局面もあるバージョンというか。

千葉 やっぱり上下の反復、垂直軸の運動であるということが関係していそうですね。大きい石にクリアに焦点が当たっていたと思ったら急に跳んで焦点がボケて、すごくまばらな粒みたいな映像に急に変わる。そこに上下の運動が伴うので、そうした視野を可能にしているスケールが規定され「身体」らしきものが否応なく喚起されてしまう。そうした身体スケールの生成を実感として感じることができることが大きいと思うんですよね。逆に《No Experience Necessary #1》は、見ている自分がある種安定した場所で距離を保っているような正面性がすごくあって、私の立ち位置は動かないまま駆動していくという感じがして、対平面というかスクロール的な平行運動に見えます。

中川 僕は結構単純に、前に進むか後ずさりするかの違いだと思っています。フレームがあるから、上下なのか前後なのかはわかりづらい状態にあるというか。まあ地面があるからそれはわかるんですけど、単純に運動だけを切り出すと《Island Rule》と《No Experience Necessary #1》の違いは前に進むか、後ろに下がっていくかの違いなのかなと。やっぱり前に進む行為は「ぶつかる」と思ったりだとか、危険の察知が含まれていると思うんですよね。後ろ方向に進む場合、危険を察知できないというか、ダイレクトな衝撃はぶつかった後に、常に遅れて現われてくるわけで、もう後の祭り状態というか、「起こってしまったことはしょうがない」と思って見ているような感じがするんじゃないかと。前進する場合は、予測、つまり現に見えていることの中に次に起こることを見てしまうというか、現れているものを見ているだけではなくて、同時にその先を見ているところがあ

ると思います。その察知の仕方の違いに「身体」というものが関わっている。

質問者1 質問をしたいんですけど、よろしいでしょうか。まず、千葉さんが冒頭におっしゃった「判断の尺度」というものを、道徳とか社会正義みたいな一枚岩のものに順応させるのではなくて、個々の作品ごとに考えられるのでないかという問題提起がすごく響きました。それを踏まえて言うと多分、高嶋さんと中川さんの映像にとって、カメラというものも単一のものでないのではないか、と作品を見たりお話を聞いたりして思いました。作品ごとにほとんど「環世界」のようなかたちで現われるというか、個々の作品がそれぞれ別々の「カメラを持った男」として機能しているような、かなり複雑な主体性をもっているように感じます。また、お二人の作品を「主体不在の映像」と捉えた際ポイントになるのは、映像を撮っている主体の話をしているのか、それを見ている主体の話をしているのか切り分けられないということだと思います。そういう意味での「不在」というか、主体が不確定なわけです。「内部観測」と呼ばれるものにも近いような、どこかに二重性みたいなものが担保されているということを、ずっと問題にしていると思うんです。中川さんが最初に言っていた「感覚ごと移動できる」みたいな映像の特質とも関係あるのかなって思います。なので、何が映っているのかは実はモチーフではないのではないか。仕組み自体はわりと単純な撮り方をしているんじゃないかなという気もするんですけど、でもその発明みたいなもの、作品ごとのカメラの使い方は全然違うものなのでしょうか。それともある程度手慣れてきていて「こうすればこうなる」というのがわかったうえで、個々に主体が違うかのようなジャンプがあるというより、むしろ体系的な洗い出しの作業なのか、そのあたりをお聞きしたいなと。

中川 これは制作における実感の話でしかないんですけど、「記録行為を記録する」という課題が最近は生まれている感じがしています。「記録する」という行為概念があることによって、撮影自体をどんどん循環させたり膨らましていくというような。僕個人としては、イベントやパフォーマンスを映像で記録することと同じように記録することを記録できないか、という問題設定がなんとなくあります。「それぞれの作品が環世界的なものに見える」というご指摘に関連することだと思うのですが、記録という行為のフォルム自体を映像内にとどめておかなければいけないというか、どうやって撮っているかが観る側にわからないものにはしないようにしている。ただ、「わかる／わからない」という判断基準は事後的なものなので、制作の足がかりとしては、「見覚えがある／ない」という表現がよいかもしれません。見覚えがあるものには何らかのつながりや親しみを感じるとともに、これまで記憶にとどめられなかったという意味での近寄りがたさも含まれていて、そういうところは特に省かないでおきたい。地面の砂粒のような比較的ミクロな対象を撮る場合、カメラの外部、後ろ側は完全に切り離して作れそうなものだと思うんですが、現われているもの、カメラによって撮られ映されているものだけを問題にするのではなくて、撮影行為そのものが残るようにしています。そのためにはカメラを固定させちゃいけないわけです。というのは、カメラを三脚などで固定してしまうと、映像に被写体だけしか含まれなくなってしまうんですね。《No Experience Necessary #1》のようにワンショットで撮っているのは、撮影者とカメラとがつながっている状態を基準にして、行為が完全に分解されないようにしているためだと思います。

高嶋 話が少しずれるかもしれませんが、「環世界」とおっしゃっていたので、それで連想するところがありまして。「目玉のおやじ」っているじゃないですか。目玉のおやじはご飯茶碗を湯船にして、風呂に入ることを常習にしていますよね、たしか。目玉のおやじが茶碗の湯船に浮かんでいるのを自然に感じるのはどうしてか。それはもちろん、目玉は目玉だけで自律していないからです。私たちの二つの目玉もいわば涙の中に浮いている。目が

放出するものが涙なのではなく、目は涙という場所、液状の環世界とセットになっている。実際に液体の中で浮いているとは言いませんが、そうでないと眼球は回転することができないから、少なくとも常に湿っている必要がある。分泌される液体が潤滑剤の役割をしているわけです。

何が言いたいかというと、見ることのなかに、いわゆる水晶体、網膜、視神経などの諸諸官からなる伝達経路、つまり見ることそれ自体の機構とは別に、それに付随するかたちで、それらの働きを持続させるような他のメカニズム、調整機構があるということです。たとえば、瞼があるから人間はまばたきをする。まばたきは見ることのなかに含まれるのかどうか。魚には瞼がないので、魚はまばたきをしないわけですが、まばたきしなくてすむのはあらかじめ水中のなかにいるからです。これらは見るという働きそのものではなく、見ることを支え円滑にする、副次的な働きです。それで、そうした身体に内属する副次的な機構も、ある種の環境ないし環世界と呼べるとするなら、私たちは通常見る機構によって見ることのできるものだけを見ているけども、じゃあ、目玉を被覆している液体を含めてまるごと見るとはいったいどういう経験なのか。こうしたことを中川さんは「カメラの外部」とか「カメラの背後」という言い方をしているのかな、と僕は思いました。

見ることは距離をもったまま対象を把握することで、その対象が距離なしでじかに接触しようとしてくれば、当然身体は反射的に避けようとするし、瞼もまた閉じようとする。眼球表面に到達しそこに混入すれば、どんなに微小な塵芥の類であろうと、私たちは痛みとして感応する。そしてまばたきの運動と潤滑液とが、侵入してきたものを外へと押し返そうとする。しかし私たちの目に向けられ、網膜に映し出されることを着地点とする映像ではなく、瞼に向けられ、瞼を相手にし、瞼に捧げられた映像というものがありえるはずではないかと思うんですよね。私たちの器官のなかで、指先と並んで、他が感知しにくい微細な摩擦を現に感知しているのは、なんと言っても瞼なのだから。目玉のおやじはもちろん瞼を欠いた剥き出しの存在（笑）ですが、彼の浸かる湯船を主題とする映像がありうるのだと。

質問者1 中川さんがおっしゃったことはとても表現が難しかったんですけど、カメラを透明なものにしないでカメラと撮影者の関係を、その痕跡も含めてまるごと映っているもののなかに残す、という話として私は受け取りました。

千葉 私も中川さんの説明はそのように理解したのですけど、「カメラの外部」と言ったときに指しているものが何なのかということを、もう一度お聞きしたいです。というのも、今の中川さんの説明だとどうしても、「カメラという眼とカメラの後ろにいる作者のもう一つの眼がある」というふうに聞こえてしまったからです。しかし、本当のところは、作者の行為性あるいは作者の作者性みたいなものが、カメラと合致、一体化して、それぞれ行為の記録として残り、個々の作品からそれを読みとれる、というようなことではない気がして、「カメラの外部」というのは具体的にどういうことを指しているのですか？高嶋さんの言う目玉のおやじの話はちょっと違う気がするんですが（笑）。目玉は湿らせなくてはいけないけど、私たちが物を見るときに目玉に水分を感じるかと言ったら、それはないものにしていると思うので、そのことと「カメラの外部」という話は少しずれるのではないかなと思います。

高嶋 僕が言いたかったのは、「外部」があるとしても、それは必ずしもカメラを操作する主体のことを指しているとは限らない、少なくともそれだけが「画面の外」ではない、ということなのですが……やはりちょっと脱線しましたね、すみません。

質問者1 「記録」ということがやはりキーになるような気がします。記録される側に記録する側も照らし返されて、新たに主体が問い直されるみた

いな、そういう感じなのかなと。

中川 極端に言えば、一つ一つカットごとに仕組みが異なっているというのは実際そうだと思います。でも順序としては、「それぞれ個別にこういう方法で」と作っているわけではなくて、一つのことからはじめて違いが生じてきた結果、作品という単位に区切られていく。差異が生じたと感じた瞬間に、それらを個々の作品にわけるというプロセスだったと思います。うまく説明できるかわからないですが、「記録」はキーになる概念なので、もう少し言葉を費やしてみます。通常何かを記録するというときには、記録対象に対して適切に対処するということが求められるわけですが、「記録行為を記録する」といった場合には、対処に対してまた対処していくわけで、「適切でなければならない」という課題が増幅していくようなことが起こっている。解決しないのだから終わりがない。さらにその対処の方法はその場しのぎなもので、その時点で適切だと思われることを積み重ねていくだけなのです。「何が映っているのかは実はモチーフではない」と観る側が感じるとすれば、そうこうしているうちにいつのまにか当初設定されていた記録対象がおざなりになってしまうからかもしれません。また適切さの判断は作業の順序によって、あるいは偶然の出来事によってそのニュアンスが変化していきます。だから「何が適切か」の判断基準自体を、制作というローカルな文脈のなかで書き換えていくような手続きです。それにしても、映像にはいったい何が記録されているのでしょうか。対象がおざなりになってしまうと言いはしましたが、「記録する」とは「何が」ということの手前にとどまって、その手続き自体を詳細にしていく作業のようにも思えます。

たとえば私たちが「熱」という言葉を使うとき、日常で使う場合は、触ったら熱いとか、熱を加えて水を沸騰させるとか、熱は温かいところから冷たいところに移動するとか、そういう使い方をしますよね。熱力学などの自然科学でも同じ「熱」という言葉を使いますが、それはもともとは日常で使っている言葉から借りてきたものです。ポピュラーサイエンスの本を読むと、そうした日常用語の概念を詳細にしていって、熱とは分子の移動であり、分子が移動することとして「熱」を定義するということを科学はやっていると書いてある。それは乗っ取りであり、いわば「ハイジャック」だと。「仕事」という概念なんかもそうですけど、日常用語をハイジャックして科学用語になったそれを、日常に戻したときに変なことが起こるみたいなこともある。記録と行為の関係は「日常用語をハイジャックする」ということに近いという感じが最近しているんです。記録しようとする行為が記録されることによって、そこにフィードバックが起こる。そうすると記録行為自体が解体されていく。僕には映像製作者や撮影者としての主体性はかなり強固にあると思うんですけど、強固にあるからこそその一旦は強固になったものが裏切られていく、私の声がどんどん解体されていくみたいなことが起こる。そうしたフィードバックの関係が制作過程になっているということです。「カメラの外部」と仮に呼んだのは、映像と日常の接点でかつ矛盾点でもあるような圏域なのですが、それはこうした制作過程の揺らぎを作品自体にとどめようとするときに問題になるんです。

千葉 反復的にカメラをずっと動かしている《Negligible #1》とギャラリーの入り口付近にある《Negligible #2》はタイトルからみても連作なのでしょうけど、後者は粒子が流れていくような、わりと別の展開をしていくようにも感じました。《Negligible #1》の動きはダイレクトに身体にくるような激しさがあるけど、《Negligible #2》はすごく細かく微妙に動いていて、この場合は身体全体に対してというより、まばたきを模倣したかのような、眼だけに特化した網膜的な振動がやはりあると思います。撮るときと見るときは相互に別の異なる次元にあるという話を以前されていたように記憶していますが、今挙げた二つの作品についてはどうでしょうか？

中川 その二つの作品は制作的にも近い時期に撮ったカットから構成さ

れています。似たようなテイクからなるものをあえて二つの作品に分けているのは、起こっていることの違いが、映像としてかなり印象的だったからです。ひび割れみたいな模様が徐々に生じてきますが、それは静電気の跡で、「スタティック・マーク」と呼ばれている、昔のフィルムなどにもときどき映っているものです。別のカットを撮影していたときに、おそらく撮っていた箇所とは別の電荷を帯びたものに触れて、スタティック・マークができていた。「できた」というより「出現した」わけです。僕はこっちでこう、カメラを動かすような運動をしていたのだけど、その行ないが実は電気を起こしていたんだ、というような。僕が把握していたのとは異なる行為になっていたんだ、と。実際には電気を起こしているわけじゃないですけど、でも静電気が溜まっていく素材を使っていて、電気を帯びているものに対して砂の粒子が溜まっていって、それがあるかたちに見えた、という経験が制作のなかでありました。そうすると自分がやっていた行為の意味というか、目的が変わりますよね。行為と目的の関係が自分のなかでズレていくというか、生じていることが行為を裏切っていく感触があった。こうした経験が先ほど出した発電床の例とつながると思ったわけです。

電気のことが関連するので、発電床に戻ってもいいですか？電気は精密に素材を構成した器具がないと作るのは難しい。その点で発電は、私たちが日常的に行なっている歩くこととは異なります。ドアノブの静電気や上空の積乱雲など、電気現象は私たちの日常の範囲にも存在しているけれど、発電のように電気を意図的に制御して何かに利用するためには、電磁気学や工学の基礎知識が必要です（私たちの体内を流れる電気シグナルはその意味では例外です）。発電床には、知らされなければ気づかないような精密さや巧妙さがある。「歩くことが発電することになる」といっても、私たちの振る舞いは何も変わらない。発電床によって気づかされることはいったい何なのか？それは、日常に挟まれた異物によって自分の自発的な行為が歪められたということなのか、それとも逆に、自分の意図したことや自発性そのものが実は異物であったということなのか、どちらなのか？どちらにしても、その装置の精密さや巧妙さが、僕にはとても奇妙なものに感じられるのです。

発電床のメカニズムを支えているのは、ある種の鉱物から作られた圧電素子で、それは特定の方向から力を加えることで生じる歪みに応じて電圧が発生します。その現象は「圧電効果」と呼ばれ、人間の知覚では捉えられないほど繊細に変化する。そのため計器、センサーなどにも使われています。また、圧電効果をもつ物質に電圧をかけると変形・振動するのですが、それは「逆圧電効果」と呼ばれる（精密な運動がかなり安定的に持続するその作用を抽出するため、自然のなかで偶発的に生まれた鉱物は厳選され、加工し不純物を取り除かれて均質な物質になるのです。このことは、僕らの初期作品と近年に映っている対象物の違いを考えるうえで、重要だと思っています）。マイクロホンは振動が電気に変換される「圧電効果」、スピーカーは電気が振動に変換される「逆圧電効果」を利用して作られている。それでは、発電することが歩くことになってしまうような「逆発電床」はありえるか？とか考えてしまうわけで、それはおそらく高嶋さんが挙げた動く歩道に近い。映像の「乗り物」モデルが有効だとするなら「発電床」モデルも有効だと考えられるのは、こうした物質レベルの作用があることが理由です。

発電床においてそれぞれの行為は、それを介して単に因果的につながっているのではありません。ですから、圧力と電気（と熱）のあいだに相互相関的な因果性があるように、精密器具を含む行為には、時系列的ではない、相互相関的な関係があると僕は考えたい。映像における「解像度」は、レンズや撮像素子によるものですが、その緻密な解像度を前提にしたときに、記録行為は何らかの変容を被るような気がするのです。記録行為と記録対象とが相互相関的な関係を有している状態を、見られることを前提にしてレンドにしている映像において、完全に実現するのは難しいけれど、その技術から発想し、その技術を構成する物質から得られる感性に従ってみることが大事だと感じています。

―――

千葉　お話を伺っていると、観る側に与えるエフェクトと、制作行為としてあるいは映像のメカニズムへの再帰的な反省として起こしていることとが完全には一致しないということが、お二人の根底的な問題意識なのかもしれないとも感じますね。作家は作り手でもあるけれど、しかし同時に作品を展開していくにあたっては、自分自身も観る側に立って判断しますよね。つまり相容れない、少なくとも二つのフェーズがある。カメラで撮っているということを念頭に、観る側が何を感じるかという想定を、作家は制作の段階でしていると思うんですが、それについてどのような自覚がありますか？また、完成された作品を観る側がどう受け止めるかということと、撮影のプロセスである「記録を記録する」という再帰性はどのように関係するとお考えですか？

―――

中川　どう見せたいかということは、はじめには設定していませんね。でも映画的なまとめ方をしない場合、何が観る側の前提になるかは考えますね。劇映画のような物語がないということは、観者とカメラが捉えた映像に映っているものとが地続きのもの、同じ現実に属しているものだということが前提になっているのではないでしょうか。そこに現実とは異なるもう一つの世界がある、というようには見ていませんよね。また、たとえナラティブがある映像でも、アニメーションと違ってカメラで撮った映像ならば、あらかじめ何がしかは現実を反映していると前提にされているとも言えますよね。だからそこは両義的で、同じこの現実に属している、私が今ここにいるということと同じ仕方で世界に属している、というふうに見えるか見えないかということがポイントになるのではないか。おそらくどっちとも言えないと思うけど。

ちなみに、今回の出品作は特に、再生させているとどんどんパソコンのファンが回ってくるんです（笑）。観る側に負荷がかかる、負担がある映像だと千葉さんはおっしゃっていましたけど、パソコン側にも物理的に負荷がある映像でもあって、映像を再生させるうえでも現実との接続がやっぱりあると感じています。それも僕らの作品で一つ大きな問題で、映画との対比で、単純に「これはドキュメンタリーです」ということではないというか……。

もう一つどうしても出しておきたいのは、「武器軟膏」と呼ばれた逸話みたいなものです。山本義隆の『磁力と重力の発見』によると、17世紀前半、旧来のアリストテレス自然学にとってかわる新しい科学の覇権をめぐって、デカルトやガッサンディたちの機械論・原子論哲学とパラケルスス主義者の科学哲学が争ったことがあり、その論争の一つの争点になったのが、パラケルスス主義者の主張する悪名高い「武器軟膏」だったらしい。それは刀傷の治療のために、負傷者の傷口に塗るのではなく、傷を負わせたほうの刀に塗る薬であり、「それによりたとえ20マイル離れていたとしても、傷ついた兵士は癒される」と語られたそうです。つまり「傷つけた武器に薬を塗ると、遠隔にいる傷ついた人が治る」という今聞いてもとんでもない話で、当時もナンセンスと厳しく批判され、魔術として弾劾された。しかしそれがナンセンスだと批判される理由は、突き詰めれば「そのような遠隔作用はありえない」という常識に依拠しているわけです。しかし、武器軟膏の作用がその遠隔性ゆえに認められないのであれば、太陽が地球に及ぼす重力も、地球が月に及ぼす重力も同じではないかということで、論争に発展したらしい。

それで、「遠隔作用はありえない」という古来以来の慣習的実感に真っ向から反していたものが、他でもない磁力の存在なのです。「武器軟膏」による治療が別名「磁気治療」と呼ばれたのも、その遠隔性ゆえらしいし、遠隔作用一般が、磁力によって表象されていた。磁力は接触なしに働くがゆえに謎めいたものとして、古来ときに生命的・霊魂的なものとみなされ、しばしば魔術的なものとさえ考えられてきたという話です。

―――

高嶋　傷つけておきながら武器に軟膏を塗って傷を治すなんておかしくない？めちゃくちゃだ、いったいどうなっているの（笑）って思うけど……。あ、でも武器と傷つけられた人は、一応接触しているわけだね。変な因果を

わかちあっている。

中川 そうです、はじめに接触があるからその因果に基づいている。たとえば磁石もそうですけれども、接触する力と遠隔で働く力の関係が、昔は魔術的なものと捉えられてきたわけだけど、映像と現実との関係について僕が話したかったのは、まさにこのことで、映像の経験ってやっぱりそれに近いところがあると思うのです。

高嶋 僕らは最近、計器をモデルにして映像について考えることができるんじゃないかと、いろいろ議論したりもしています。今回の展示で受付に置いた小冊子『映像なしの映像経験』に掲載した試論などもそのひとつの経過報告なので、是非お読みいただければと思います。

デジタル以降の映像は、実際ある種の計測機器ですよね。計測機器一般の特徴は、何らかの物理的接触や物質的変化を起点にしつつ、それを数値、記号データへと変換していることです。ただし純粋な計算とは違って、計測はあくまで指示対象との関係を保持している。たとえば計測器の一つに、地震計というものがあります。その名のとおり、地震の際の地面の揺れを指示対象とし、測定し記録する装置です。もちろんそれはカメラとは異なる仕組みをもつものですが、同じ計測器だと捉えれば、そこから映像のありさまを推し測り、「映像は何を記録しうるのか」という問題にフォーカスが与えられるのではないかと思います。というのも──冒頭で話した論点に戻りますが──地震計の機構は「現実と関係を取り結びながら、現実から半ば離脱する」という映像の二重性を、よりシンプルに実現しているからです。

ごく単純化して言うと、地震計は錘をつけた単振り子です。その先には動きを線で記すためのペンがあり、その線が記されるための支持体である回転ドラムには記録用紙が巻かれているという構成になっている。だけど考えてもみてください。そもそも、揺れている地面の上にありながら、その地面の振動を測ることなんて、どうやってできるんでしょうか？ たとえば地面が振動して、その地面の上にある家屋が倒壊したとして、倒壊したその家屋は「振動を測っている」と言えるのかどうか。それは地震の振動がもたらした直接の結果でしかないから、「測っている」とはとても言えませんよね。ただ、倒壊した家屋は、地震の振動と即物的な因果関係を結んでいるから、その振動が過ぎ去った後に、振動がもたらしたものを私たちに伝える痕跡であるとは言えます。つまりそれは、地震の結果物であり地震の〔一次〕記録物です。

しかし地震計も、その揺れの渦中にあったがゆえに何がしかの変化をじかに被るという点においては、実のところ倒壊する家屋と同様の物体なのです。たとえば言語記号のような示差性のシステムとは違って、地面の揺れそれ自体を運動と記載の原因にしているという意味で、地震計がとどめるのは──最終的には数値化されるとはいえ──物質的で直截な痕跡です。しかし地震計が記す針の軌跡が倒壊した家屋と異なるのは、振動を受けたという意味では直接的でありながら、同時にその間接的な抽出でもあるという点です。地震のような地面の振動で振り子の素早い往復運動が生じると、慣性の法則によって錘が静止点として固定される。振り子はまさに、その早く揺れ動くという大地の現象を利用して、当の揺れる大地から離脱する静止点をつくっているわけです。この相対的な地面からの離脱によって、揺れを測ること、振動の抽出が可能になる。地震計の刻みかつ記すという所作は、揺れの表現でも揺れの抽象でもなく、揺れの抽出なのです。

要するに、痕跡は対象との物理的で直接的なつながりをもつ。抽出は対象のある性質だけに焦点を絞り、またその方法にも制約を課すことで、対象とのつながりを一定程度間接化する。こうした痕跡と抽出の双方をクリアに統一している機器が地震計だということです。そして、完全に対象と切り離されるわけでも完全に対象と一致するわけでもないという痕跡と抽出のこの二重性こそ、映像が孕む二重性とも合致していると言え

ないでしょうか。

よく写真とは痕跡である、インデックスだっていう話がありますよね。映画だったらアンドレ・バザンが聖骸布の例を挙げて言っていたことですが。もちろんデジタル写真ないしデジタル映像の登場と普及以降、それが原理たりうるかは疑問視されつつあるけど、それでもインデックス性はいまだに「判断の尺度」としてあるという気もします。つまり、どんなに対象の姿が不明瞭で純粋視覚的に見えようとも、あるいは逆にどんなに記号的な次元の「表象」に見えようとも、物理的・物質的な関係がそこになお残存している、と。しかしこのインデックス性、物理的・物質的な関係が、決して不変不動の「尺度」であるわけではなく、ピックアップされたり捨象されたり組み換えられたりするような揺らぎを抱えていることが重要です。中川さんが出した「武器軟膏」という強烈な例、つまり直接的なレベルの接触と魔術的な遠隔レベルでの操作とのフィードバックもそうですが、被写体として姿を現わすわけではないものの運動を介した際に見えてくる身体性、あるいは主体の消失と現出、そうした諸々の「距離」の変動が映像固有の経験なのだと思います。

痕跡は必ず質料を伴い個別な場面から離脱できず、そうであるがゆえに事実性が内包されます。対して、汎用的で一般性を獲得する抽象において省かれるのは、概ね諸要素の質料的な側面です。たとえば力学において「無視できる」つまり「無視してもよい」とされるのは、運動するものの大きさや運動によって生じる摩擦抵抗です。抽象は一般的な関係だけを純化してとりだすために、他をすべて副次的なものにする。「無視できる」という判断は、変換を可能にする一般性の確保が何よりも優位にあることを示唆しています。指し示しの徴としてあるが記号化しきってはいないデータが痕跡で、記号化されたデータを抽象であるとするなら、痕跡から抽象への途上に、プロセスとしての抽出がある、とも言えます。いかに加工しようとも抽象にはどこまでも至りきらない、中途で未完了でしかないこうした抽出過程こそ映像の本質なのかもしれません。

「地震計」モデルを踏まえると、この抽出過程とは「濾過される痕跡」だとも言えそうです。しかしそうだとしたら、計算で「数字を丸める」ように、痕跡は省略したり濾過したりできるものなのか、という疑問も生じます。言い換えると、痕跡の要である直接性は度合いとして捉えたり、増減させたりできるのか、という問い。たとえばコーヒーとはコーヒー豆から抽出されたものであり、コーヒーはコーヒー豆の抽象であるとすら場合によっては言えるかもしれない。けれどコーヒー豆を挽き、濾してコーヒーを淹れたら、そのコーヒーはコーヒー豆の痕跡であるとは言えなさそうなのに対して、コーヒー豆の出涸らしの滓のほうは痕跡と言えるとすれば、それはなぜでしょうか。抽出によって除外されるものもまた、痕跡と呼びうるかもしれません。僕が思うに、映像を映像として見ることはいわば、淹れたてのコーヒーとコーヒー豆の出涸らしの滓とを、同時に味わうようなものです。

中川 計器の場合は、物理的な痕跡でしかないものに表示機能をつけるというか、それをディスプレイ化するということが条件になっています。計器は自然現象を応用して作られているので、高嶋さんが言うように、物理的な痕跡による抽出作用がそのシステム内部に含まれている。しかしそれだけでは計器として不十分で、表示機能をつけて痕跡であったものを情報として外部に出力しないといけない。つまり、抽出とディスプレイ化がセットになっている。計器を使う者にとってはその中身がどうなっているかはどうでもよいことで、知りたい情報は計測した数値であり、それはディスプレイに表示される。しかし計器は数値を表示するだけで、その数値が何を意味しているかは指示しない。その数値の意味を知るためには、その計器の外側にある対象を確かめなければならない。つまり計器の内部システムと私たちの知覚空間である外部システムはつながっておらず、ディスプレイによって隔てられていると言えます。計器は痕跡であったものをディスプレイ化するので、対象との直接的なつながりが途切れた状態で、やはりインデックス性は失われている。抽出とその遠隔作用の問題

は、ディスプレイの機能を問うことが重要だと僕は思います。

—

質問者2 お二人の作品には、人間の肉眼で見ることと、カメラを通して見えるものの違いみたいなことが如実に現われているという気がします。今はデジタル映像の時代ですけれど、コマとかフレームがあるから映像として見えるという点ではデジタル映像もフィルムと同じで、実はパラパラマンガのときから原理としてそんなに変わってないんじゃないか。それに対して肉眼は、コマとかフレームが、少なくとも見えていることの内に明示されていなくて、だから運動を運動そのものとして認識できるんだろうとか、そんなことを考えながら拝見しました。特に《No Experience Necessary #1》や《Blank Firing》は、コマ撮りのような非肉眼的なフレームがすごく見えてくるように感じて、それはおそらく映像の特質の最たるものではないかと感じます。ロザリンド・クラウスの言う「メディウムの再発明」を典型的に実践しているようにも思えたのですが、いかがでしょうか。

高嶋 そうですね。今回の傾向として、フィルムの傷やブラウン管のモニターに発生するノイズなどアナログ映像のときにあったエフェクトを、デジタルで別の仕組みを使って模倣しているようなところもちょっとあるのかなと思います。でも目標としては、映像というメディウムに固有の特質の再提示以上のことを探れたらと思うんです。その目標とはやはり、「人は歩く」を「人は発電する」に変形したり、「蜂は飛ぶ」を「蜂は渦を巻く」に書き換えたりするなど、これまで例に出してきたような、私たちにとってもっともありきたりに思えるニュートラルな行為、つまり慣習化された行為をいかに捉え直し変化させるか、ということに関わります。

　たとえば、「歩き方に癖がある」とは言えるのに、「歩くことそのものが癖である」とは言えないとすれば、それはなぜなんでしょうか。歩くことそのものが癖であるとしたら、歩き方にみられる癖や口癖や寝癖など他のこれまで癖と名指されてきたすべてのものが、癖とは言えなくなってしまうからなのか。まるであらゆる癖は癖ではないと一挙に否定されたかのように？「歩き方に癖がある」と「歩くことそのものが癖である」が折り合いをつけて共存することはとても難しい。でも試しに「あの人の歩き方に踵を引き摺るような癖があるのとちょうど同じように、人類には歩くという癖がある」と言ってみましょう。この言は、ある人物の歩き方を「踵を引き摺るように」と形容するように、人類を「歩くこと」が形容しているのだ、と読めば意味が通らなくはない。このときの「意味が通る」とは明示されている言表の裏、つまり否定形が同時に把握できるということです。だからその場合には、踵を引き摺る癖のない歩き方を想像できるのと同様に、歩くという癖のない（歩くということをしない）人類を想像できねばならない。もしも「歩くことそのものが癖である」という言をナンセンス、意味不明ではないものにしようとするなら、私たちは、「（口癖ではなく）喋ることそのものが癖である」というように、並び立つ他の癖を、私たち自身の振る舞いを省みて、必ずそのなかから探そうとするはずなのです。逆に言うと、歩くという癖にとって代わる別の癖が想像できないのであれば、私たちは歩くという「癖」のない人類を想像できたことにはならないのです。

　歩く以外でパッと思いつく人間のベーシックな行為は、やはり喋ることですよね。喋ることを先ほどと同様な手続きである種の偏り、癖にすぎないものだと考えてみるとどうでしょう。「人類に喋る癖があるのとちょうど同じように、あの人は話の合間に「えっと」と言う口癖がある」。この言表の場合、「人類は喋る癖がある」はほとんど「人類には喋る習性がある」と同じ意味にしか読めない。「人類には喋る習性があり、あの人には話の合間に「えっと」と言う口癖がある」と前半と後半が並置される言だったなら、齟齬はほとんど生じません。しかし、先の言表の「ちょうど同じ」とはいったい何が同じなのか。「喋る習性」のどこに照準を合わせていいか、わからなくなります。ある人の癖が人類の習性の比喩になりえても、人類の習性がある人物の癖の比喩になるには、何かが足りないんです。個の把握

と類の把握、一回的な出来事と習慣的な反復は、私たちのなかで交叉して編まれているがゆえに、とても厄介で捉えがたい。

　ともあれ、たとえばこのようにして、代わりの振る舞いがないこと、ある偏りの代わりになる別の偏りがないということ、代わりの偏りがないのにそれが偏りであるとわかるということなどを分析し、検討していくことができるはずです。狭義のメディウム論の射程にとどまらず、人間が常日頃すでに行なっているベーシックな行為や振る舞いを相対化し、そのなかの一つとして「映像を撮る」「映像を見る」という行為もまたあるのだと、そんなふうに問題を拡張していけたら、というのが僕らの今後の目標だと思っています。

—

中川 先ほどは言い損ねてしまいましたが、「武器軟膏」の逸話には続きがあります。パラケルススという人物は、当時の主流であったスコラ哲学などの学問を嫌って、長い放浪の途上で民衆と直接接触し、その素朴な民間信仰や自家医療の実践を知の源泉としてきた。経験を重んじ、類比による推論で世界を思考した。彼の判断にはある種の状況に固有の合理性があったように思います。当時は治療するどころか悪影響を及ぼす薬も横行していたらしく、それに比べると「武器軟膏」は有効な治療法だと考えられていたと言われています。「怪しい薬に頼るより身体の自然治癒力に頼るほうがマシだ」というのなら、後世の私たちでさえ一定の妥当性があると思うのではないか。その有効性が限定的なものだとしても合理的と言える判断。その判断に至るにはどのような状況があったのかと考えるわけですが、それを知る術というのが実は「忘れる術」なのだそうです。これはアレクサンドル・コイレが書いていることですが、パラケルススが知っていて私たちが知らないことを学ぶのではなく、私たちが知っていること、私たちが知っていると思い込んでいることを忘れる、という心構えが必要になるのだと。この「術」の話は「判断の尺度」という、今回千葉さんが据えた全体テーマに、何かしら示唆を与えないでしょうか？

　それと最後に、とりわけ僕は今日、自然科学や工学関連のことばかり例に出して話してしまっていますが、「芸術のリバースエンジニアリング」というものの実践をしてみたいという淡い願望ももっています。通常のエンジニアリングは、何か目的が先にあって機械を設計しますが、逆に、機械が先にあって何のために設計されたのかを考えるのがリバースエンジニアリングです。芸術作品は機械ではなく、部分と全体の関係が完全には一致しないことがしばしば起こるから、そうした応用は有効ではないと思うかもしれません。しかし映像制作では常に、すでに完成されたもの、すなわちレディメイドとしての現象を扱っているという感覚があります。ただその「完成されている」ということが——パラケルススのことを鑑みても——そんなに自明なことではない気がするのです。クラウスの理論を援用せずとも、映像を徹底して使い倒すことはそれを発見し直し発明し直すことに必ずなる、そんなふうに考えています。

—

千葉 本日は長時間ありがとうございました。

作品リスト

1 《Negligible #1》
2023年｜4K / UHDヴィデオ（カラー、サイレント）｜8分32秒

2 《Negligible #2》
2023年｜4K / UHDヴィデオ（カラー、サイレント）｜6分22秒

3 《Island Rule》
2023年｜HDヴィデオ（カラー、サイレント）｜11分38秒

4 《Refractive Index》
2023年｜HDヴィデオ（カラー、サイレント）｜2分7秒

5 《No Experience Necessary #1》
2022年｜4K / UHDヴィデオ（カラー、サイレント）｜8分1秒

6 《Blank Firing》
2022年｜HDヴィデオ（カラー、サイレント）｜11分21秒

Exhibited Works

1 *Negligible #1*
2023｜4K / UHD video（color, silent）
8 min. 32 sec.

2 *Negligible #2*
2023｜4K / UHD video（color, silent）
6 min. 22 sec.

3 *Island Rule*
2023｜HD video（color, silent）
11 min. 38 sec.

4 *Refractive Index*
2023｜HD video（color, silent）
2 min. 7 sec.

5 *No Experience Necessary #1*
2022｜4K / UHD video（color, silent）
8 min. 1 sec.

6 *Blank Firing*
2022｜HD video（color, silent）
11 min. 21 sec.

「無視できる」ものの召喚

「主体不在の映像」とは彼らの作品を前に俄然、導き出された定言のようなものであるが、これをもう少し丁寧に辿ってみれば、一つには、いま目にしている映像がカメラで(が)撮ったものだとして、その背後に撮影者たる主体(=行為者)が存在していないかのようだということであり、さらに言えば、当の映像そのものに、撮られることを目的化された主体(=主題)が見当たらないということである。映像の常套といえば、いまここは別世界を描きながら、「没入」の効果によって、忘我のうちにその境界線を曖昧に溶解させることにあるが、そうした映像につきものの物語性は放棄されている。

ただし、肝心なのはここからである。というのもこうした彼らの作品に特有の主体へのアプローチは、結果的に「カメラの眼」という強固な存在を主体の代替として顕在化させ、また、そうしたカメラの無意志の暴走(カメラはときに、我を忘れた暴走機械のようでもある)は、複数の主体を、あるいは映像をいまここで経験している私自身を、新たな主体として召喚するからである。こうして、しばしば作品体験において忘却される、彼らがいうところの「無視できる」ものが、先鋭化することになる。

個展のタイトルにある、この「無視できる」が、私たちの認知に関わる重大な観点であることは言うまでもない。それは、私たちが何かにフォーカスする際、アジャストする際に忘却可能な、また忘却を必然とする盲点だとも言い換えられるだろう。日常において私たちの生存を可能にするところのエス(es)なるものが、ここで召喚されるのである。

本展に出品された6つの映像作品は、それぞれのアプローチ=撮影手段を変えることで、「無視できる」はずのものを様々に現出させる。同名タイトルの新作《Negligible #1》や《Refractive Index》は、その最も強烈な表れだと言えるだろう。カメラが砂利の上を猛スピードで走り、あるいは掘削作業をするように激しく上下運動をする。それらはあたかもカメラが自己制御を超えて駆動し、その結果としてカメラが捉えていたものが映像として姿を現すといった具合で、カメラはカメラとしての機能を忘却することで、カメラとしての役割を果たす。そして、それに比例するように、私たちは網膜的体験を超えて、身体にダイレクトに作用してくるこの映像によって私を意識することになる。カメラの大きな上下運動を伴う《Island Rule》ではさらにこの映像経験が、事物を把握する際の基準となる身体というスケールを一気に超えて訪れることになる。また対照的に《Negligible #2》では、よりミクロの次元を拡張し(ミクロをマクロにするとは言葉の上では逆転することであるが)、直接性と間接性の狭間において、わずかに振動しながら変化する粒子の動きが映し出される。それらは私たちの網膜に直接的に作用するようであり、私は、開いた瞳孔が定まらないままチリチリと揺れ動く、自分では視認不可能な見えない自らの眼を否応なく想像することになる。それは映像を介することで経験される、身体を忘却した目玉としての私であり、通常の映像に

おける没入・没我とは異なる自己体験の神経症的な兆候ということもできるだろう。

カメラを徹底的に使い倒すことによって(落としたり投げたり、文字どおりカメラには相当な負荷がかかっている)、通常の認知の外にある、「無視できる」としてきたものを召喚する。この映像作品と呼ぶことすらも躊躇するような彼らの作品には、しかし、先祖返りのように、初期実験映画にも通じる肌理がある。それは彼らが、もはや映像作品が映像であることを忘却しつつある現在において、その意味を徹底的に問い直しているからであり、そこに新たな主体の到来が賭けられているといったら言い過ぎだろうか。

千葉真智子

Summoning the "Negligible"

"Images without subject" is a categorical statement that suddenly came to mind when confronting the works of Takashima + Nakagawa. Considering the reason for this, for one thing, the footage that plays out before one's eyes, if it was indeed taken with (by) a camera, does not seem to have a subject (=agent) behind it. In other words, the presence of the person operating the camera is made to appear absent. Furthermore, there is no subject (subject matter) in the footage itself that serves as the motive or objective for filming. A common practice in film is to depict worlds different from the here and now, while obliviously blurring the boundaries between them through the effect of "immersion."

However, the narrative nature inherent in this context is evidently abandoned in their work. However, here is the crucial thing. This approach to the subject, which is unique to their works, results in the strong presence of the "eye of the camera," emerging as a substitute for the subject. In addition, the camera's aconative rashness (the camera at times appears like a reckless machine that has lost control of itself) summons multiple subjects, or even oneself who is experiencing the images here and now, as a new subject. In this way, things that are often forgotten about in the experience of an artwork—what they refer to as the "negligible"—are radicalized.

Needless to say, the "negligible," which in itself serves as the title of the exhibition, is an important perspective related to our cognition. In other words, they are "blind spots" that we let slip, or things that we inevitably forget when we focus on and adjust to something. It is here that the "es," which enables us to survive in everyday life, is summoned.

The six video works presented in this exhibition bring into view various things that would ordinarily be deemed "negligible" by each employing a different approach = filming method. The new works *Negligible #1* and *Refractive Index* are perhaps those in which this is most strongly manifest. The camera sprints across the gravel at high speed, or moves up and down violently as if engaged in some kind of drilling operation. It almost seems like the camera is driven beyond its own control, and presenting the footage that it captured as a result, enables the camera to fulfill its role as a camera by forgetting its function as a camera. And in proportion to this, we become conscious of ourselves through this footage that transcends our retinal experience and acts directly on our bodies. In *Island Rule*, involving large vertical movements of the camera, this visual experience goes beyond the scale of the human body, which is the standard by which we perceive and understand things. Conversely, *Negligible #2* expands the microscopic dimension (although to turn the microscopic into the macroscopic, by the definition of their terminology, may seem like a contradiction) and shows the movement of particles oscillating slightly and changing in the space between directness and indirectness. Such seem to act directly on our retinas, and I am forced to imagine my very own eyes which I cannot see for myself, with their dilated pupils flickering and shifting without focus. It is the I as an eyeball oblivious to the body experienced through video, and can also be described as a neurotic manifestation of a self-experience different from the usual immersion and self-involvement experienced through moving images.

By thoroughly making full use of the camera (dropping it, throwing it, literally placing a considerable burden upon it), the artist manages to summon what is regarded as being "negligible" and residing outside the realm of normal cognition. Their work, which one might hesitate to even refer to as "video works," as if in a manner of reversion, has an appearance reminiscent of early experimental films. Would it be an overstatement to say that such is due to an attempt to thoroughly reexamine the meaning of video works at a time when the very nature of the moving image is being forgotten, while also anticipating the arrival of a new subject?

Machiko Chiba

Shinichi Takashima + Shu Nakagawa: Negligible

判断不全　星野太

略歴

Imperfect Judgment　Futoshi Hoshino

Biographies

font-family : 本明朝_sabon_M_old;
font-size : 7px;
line-height : 9.2px;
color : #8F251F;
color : rgb(143, 37, 31);

font-family : 本明朝_sabon_M_old;
font-size : 26px;
line-height : 14.94px;
color : #8F251F;
color : rgb(143, 37, 31);
text-outline : #8F251F;
text-outline : rgb(143, 37, 31);

font-family : 本明朝_sabon_M_old;
font-size : 6px;
line-height : 9.2px;
position : relative;
top : 0.96px;
color : #8F251F;
color : rgb(143, 37, 31);

font-family : 本明朝_sabon_M_old;
font-size : 7px;
line-height : 9.2px;
color : #8F251F;
color : rgb(143, 37, 31);
text-outline : #8F251F;
text-outline : rgb(143, 37, 31);

font-size : 10px;
line-height : 9.2px;
color : #8F251F;
color : rgb(143, 37, 31);
text-outline : #8F251F;
text-outline : rgb(143, 37, 31);

判断不全

——

星野太

I 有限性

いま、芸術についてわたしが新たに語れることはほとんどない。より厳密に言うなら、ここ最近の芸術をめぐる話題にキャッチアップできる余裕が、いまの自分の生活にはまったくと言っていいほどない。そのような個人的な後ろめたさを抱えながら、この文章を書いていることをあらかじめ告白しておこうと思う。なぜならそのことは、これから書かれる内容ともけっして無関係ではないからだ。

ここ数年、疫病が世界を覆っているあいだに、ごく個人的な事情から生活が一変した。かつてのように、一日にいくつも展覧会を見て回ることも、国内外の芸術祭に足繁く通うことも、新しい作家やギャラリーについて熱心に調べることも、ほとんどできなくなってしまった。いまのわたしにアクセス可能な展示は、週に1、2時間、平日の日中に、東京の自宅か職場の近くで見られるものにほぼ限られる。

いま、自分がそんな状況だからこそ、あらためて思うことがある。わたしたちはいったいいかなる動機に突き動かされて、わざわざ展覧会に足繁く通い、作品を見ようとするのだろうか。そこにあるのは、いったいいかなる欲望なのだろうか。ひるがえってこうした問いは、広義のアーティストにも同じく差しむけることができる。あなたは、自分の限られた時間の大半を、いったいなぜ作品をつくることに費やすと決めたのか。

こうした「なぜ」という問いに対して、おそらく明快な答えをもつ人のほうが少ないだろう。わたしたちの生のありようは、ほとんどの場合、ただの成り行きによって決まる。だからむしろ大切なのは、わたしたちが「この」生において、日々いかに膨大な判断を下しながら生きているのかを、いちど立ち止まって考えてみることである。

たとえば、かりに東京在住のわたしが車椅子での生活を余儀なくされているとしたら、そこで見に行ける展覧会はおのずと限られてくるだろう。家から美術館までの経路を入念に調べて、問題なくたどりつけると判断できた場合のみ、わたしはその美術館に足を運ぶことができる(ひるがえって、旧倉庫や雑居ビルの一角にあるコマーシャル・ギャラリーに行くという選択肢は、はじめからほとんど除外される)。その場合、どの展覧会を見に行くかの優先順位を決するのは、かならずしも作品やテーマの好みをはじめとする「美的な」基準ではないだろう。もちろんそこにも一定の選好は働くだろうが、こうした状況においてはどうしても、車椅子で行きやすいかどうかという「現実的な」基準が優先されるはずだ。

あるいは、もうすこし一般的なケースとして、次のような事態を考えてみてもよい。今週末で終了する展覧会「A、B、C」のうち、わたしは「A」をもっとも見に行きたい。だが、その週末一緒に出かける約束をしているパートナーは、「A、B、C」のなかでは「B」をもっとも見に行きたいと思っている。そのうえで、両者の意志をすり合わせた結果、二人ともそれなりに関心がある「C」を見に行くことになった——こうしたケースも、十分にありうることである。

こうしたケースを考えてみてもわかるように、わたしたちの日常のなかに、純粋な趣味判断という
ものは存在しない。カントのそれをはじめとする美学の議論のほとんどは、あくまでそれを理念的な
レベルで考えようとしたものであって、いかなる関心も欠いた「純粋な」趣味判断が、現実的な場面
において生じることはほとんどないだろう。むろん、これは美学そのものの有効性を疑うものではい
ささかもない。だが、作品受容のレベルにおいて言えば、わたしたちが純粋な「目」として、あるいは
純粋な「五感」の持ち主として作品に対峙するというのは、ほとんどの場合、たんなるフィクションとみ
なすほかないように思われる[*1]。

　作品をつくる場合にも、これといくぶん似たことが当てはまる。その最大の理由は、それをつく
る当の人間が、有限な存在者だからである。人間の創造は、神のそれとは異なり、いかなる場合にお
いても無時間的なものではない[*2]。わたしたちにはかならず「締切」がある。たとえ外部から与えら
れた締切がなくとも、わたしたちの生の有限性、すなわち死が、否応なしに作品に期限を設けるだろう。
それは素材にしても同じことだ。この世のあらゆる素材を自由に使える人間ならば、事情は違ってく
るかもしれない。だが、現実的に作家は限られた資金のなかで資材や道具を調達し、その範囲内で
作品をつくる。その意味で言えば、鑑賞だけでなく制作もまた、純粋な趣味判断とは異なる論理に
侵食されていると言えるだろう。

2　社会性

わたしたちの判断は、つねに有限な選択肢のなかで下される。わたしたちが何かを望むとき、「すべ
てを」望むことのできる者はいない。無数に存在する制約のなかで下される判断 —— それが人間の
判断に共通する第一の特性である。

　そのことを指摘したうえで、芸術作品の鑑賞において避けがたく生じる心理について、いくつか
のことを述べていきたいと思う。昨今、ソーシャリー・エンゲイジド・アート(SEA)に代表されるような、
社会的なコミットメントを強くもつ作品が存在感を増している。これに関連して、そこでは芸術作品
の評価において不可避であった美的判断が後景に退き、むしろ倫理的判断が重視されるという傾向
が多分にみとめられる。

　そのことが、学術的・批評的にいかなる意味をもつのかは、さしあたり問わないでおこう。ここでわ
たしが関心を寄せるのは次の事実である。すなわち、ある美術作品の美的評価(良い／悪い)について
はなかなか意見の一致をみないケースでも、同じ作品の倫理的評価(善い／悪い)について議論がな
されたなら、それは多くの場合同じような結果になるだろうということだ。より具体的に言うと、現代
美術の作品について明快な評価基準をもたない鑑賞者 —— おそらくほとんどの鑑賞者 —— であっ
ても、SEAの作品が社会的にいかなる意義をもつのかを説明されれば、比較的簡単にその評価基準
に賛意を示すのではないだろうか。これをいくぶん単純な仮説に落とし込むなら、次のようになる。
すなわち、現代美術においてあるていど共有された「美的価値」をすぐさま飲み込むことのできない
者であっても、その社会的効果がいかほどのものであるかという「倫理的価値」について話題をむけ
られれば、当該人物はそれにより積極的な賛同を示すのではないか。

　むろんこれは、美的判断よりも、倫理的判断のほうが単純であるという意味ではかならずしもない。
なんらかの複雑な状況のもとでなされた行為のなかには、その善し悪しを容易に決しがたいケー

スもあるだろう(そのために法廷がある)。しかし、こと美術作品にかぎって言えば、それを「美的に」評価することには躊躇を示す鑑賞者であっても、その成果を「倫理的に」評価することは躊躇わない、という事態はあるていど一般的に観測されるように思われる。

たとえば、わたしは見知らぬ人と一緒にアサガオを育てることには何の興味もないが、それによって人と人とのつながりをつくるプロジェクトが、この国ではそれなりに人気のある「アート」だとされていることは知っている。わたしは、見知らぬ人とアサガオを育てることには興味がないので、そのプロジェクトが良い作品であるという「美的」判断を下すことは到底できないし、それが何か善いことであるという「倫理的」判断を下すこともできない。他方、ごく標準的な心の持ち主が、そのような作品を倫理的に高く評価するというメカニズムに不思議なところはひとつもない、とも思う。それを(作品として)あえて積極的には評価しないとしても、そうした営為が「悪である」と断言できる人は稀であろう。

哲学的でも何でもないごく素朴な経験論として、「真・善・美」のそれぞれについて、多くの大人はあるていどの確信をもって何らかの判断を下せるものと思っている。だが、この三つ目の「美」をめぐる判断は、せいぜいが花々や日没の美しさについて下されるものであって、人工物であるがゆえの複雑なパラメータが関与する芸術作品の場合、そこで自信たっぷりに作品の解説を始められる者は稀である。作家の複雑な美的判断の集積であるところの作品を前にして沈黙する者が、社会関与性をより前面に押し出した別の作品の倫理性について雄弁に語るといったことが生じうるのは、おそらくそうした事情に起因していると思われる。

3　倫理性

ところで、作家の意図がすみずみまで行きわたった美術作品を、かりに次のようなしかたで規定したとしても、おそらく不当にはあたるまい。美術作品とは、それを手がけた作家の「享楽的なこだわり」が一定の不変性や持続性を獲得したものである[3]。作品とは、基本的にはそれをつくった作家の、大小さまざまな判断の集合体であるからだ。その構想から実現にいたるまで、ひとつの作品の成立にはほとんど無数の判断が介在している。もちろん、そこには作品の主題やモティーフをめぐって、一定の倫理的判断が介在するケースもあるだろう。だが、それが美術作品である以上、そこで大きなウエイトを占めるのが美的判断であることは言を俟たない。

いましがた「言を俟たない」と言ったが、まさしくこれが、今日においてしばしば争点となる大きな問題なのだろう。美術作品において、作家の美的判断が最上位に来る(べきである)というのは、ほとんど言うまでもないことのように思われる。というのも、そうでなければ、それを作品として世に問う意味はほとんどないように思われるからだ。

しかしその一方で、作品に含まれる倫理的判断が、今日ますます重視されつつあることも周知の通りだ。たとえば映像を用いた作品の場合、そこで撮影される対象を不当に扱っていないかどうか、あるいは撮影や編集の方法に不適切なところがないかなど、企業でいうところの「コンプライアンス」に相当する部分が、すべての判断のうちそれなりの割合を占める。

そのことじたいは、取り立てて肯定も否定もすべきでない、ひとつの所与である。問題は、前節でも指摘したように、倫理的判断は、美的判断よりも容易に単純化されうるという点にある。すなわち、

引き続き映像作品のケースで言うなら、きわめて手の込んだ撮影と編集によってつくられた一本の映像作品が、出演者に対する不適切な扱いゆえにそもそも作品としての評価の埒外におかれること――このようなケースは、往々にして起こりうる。あるいは、ごく平凡な一本の映画が、その収益を全額慈善事業に寄付するという報道によって関心を集めること――このようなケースも、同じく容易に想像可能なものである。

わたしはここで、作品の内外における倫理的なパラメータを不当に低く見積もろうとしているわけではない。ただ事実として、作家がおのれの「享楽的こだわり」によってつくり上げた作品という構築物が、しばしばそれとは次元を異にする倫理的な価値基準によって不当に遇されることの悲喜を憂いているだけである。倫理的な判断はたしかに重要である。しかし同時に、そうした領域からはあるていど自立したかたちで構築されるのが、伝統的に作品とよばれるものではなかったか。

ここまでわたしが書いてきたことは、昨今喧しい美術業界の不健全な構造だとか、ハラスメントの温床だとかいった話とはほとんど関係がない。わたしが言っているのは、無数の美的判断の変数からなる作品を、それより一桁、二桁ほど少ない倫理的パラメータの変数によって評価することのいびつさを、わたしたちはいまいちど認識すべきだということである。

4 おわりに

最後に、ある作品を倫理的観点から断罪する身振りは、当の倫理的判断のポテンシャルを低く見積もりすぎであるということを指摘して、この小文を閉じたい。おそらく、日常的にさまざまな美術作品に触れている人ほど、そこにある美的判断の多様性を正確に理解しているだろう。ある作品の良し悪しを決めるパラメータはけっしてひとつではないし、それを構成する複数のパラメータにしても、たんなる機械的な四則演算によって導き出されるものではない。これと同じように、多くの人間、多くの文化に触れている人ほど、そこにある倫理的判断の多様性をただしく認識しているはずだ。

正しさや善さについて、わたしたちが感じていることのほとんどはその一面にすぎない。人間や社会の数だけ異なる正しさや善さがあるように、それを判断するための尺度も、けっして一枚岩ではないはずだ。にもかかわらず、あたかも美的判断は多様で（合意がなく）、倫理的判断は一枚岩である（合意がある）ような錯覚が生じるのはなぜなのか。いまわたしたちが考えるべきは、現代美術の「社会的転回」や「倫理的転回」[*4]といった短期的な現象にとどまらず、そもそも異なるタイプの判断のあいだにあるアンバランスさと、それがもたらす判断不全の様態であろう。

[*1] わたしたちの議論とはいささか背景を異にするが、かつてブルデューが「社会的」判断力批判の旗印のもとに行なったカント批判も、ここに書いたような問題意識のうえに成り立っているように思われる。Pierre Bourdieu, *La Distinction. Critique sociale du jugement*, Paris, Minuit, 1979.〔ピエール・ブルデュー『ディスタンクシオン――社会的判断力批判（I・II）』石井洋二郎訳、藤原書店、1990年〕

*2 佐々木健一『美学辞典』(東京大学出版会、1995年)の「創造／創造性」の項目(98-106頁)におけるひとつのポイントは、この「有限な」人間による創造の意義を適切に論じたことにある。創造主(Creator)といえば、これはもともと『創世記』における神のことだが、神の創造が無限にして無時間的なものであるのに対し、人間の創造は有限にして時間的なものである。「人の創造性はむしろ、この有限性を積極的な要因へと転化することに存すると考えられる」(102頁) ── このことの意義は、いかに強調してもしすぎることはない。

*3 「享楽的こだわり」という語彙は、千葉雅也『勉強の哲学』(文藝春秋、2017年)による(104頁)。周知のように「享楽(jouissance)」はジャック・ラカンの主要概念のひとつだが、ここにはそこまで強い含意はなく、自分でもなぜそうなってしまうのかがわからない、ある漠然としたこだわりのことを意味している。注意すべきは、同書でこの「享楽的こだわり」からなる語りが「非意味的形態」とも言いかえられていることである(107頁)。というのもまさしく、あらゆる造形芸術は無数の「非意味的形態」の集合であるからだ。

*4 Claire Bishop, "The Social Turn: Collaboration and Its Discontents," in *Artforum* 44 (2006), pp. 178-183.

星野太

1983年生まれ。東京大学大学院総合文化研究科准教授。専攻は美学、表象文化論。著書に『食客論』(講談社、2023年)、『崇高のリミナリティ』(フィルムアート社、2022年)、『美学のプラクティス』(水声社、2021年)、『崇高の修辞学』(月曜社、2017年)、訳書にジャン゠フランソワ・リオタール『崇高の分析論 ── カント『判断力批判』についての講義録』(法政大学出版局、2020年)などがある。

Imperfect Judgment

Futoshi Hoshino

---

1 Finitude

There is hardly anything new I can comment about art at this moment in time. To be exact, there is not much room in my life currently to catch up on recent topics related to art. I must confess in advance that I am writing this text while ridden with this personal sense of guilt and unease. The reason is that it is by no means unrelated to what I am about to articulate.

Over the past several years, as the epidemic continued to sweep the world, my life completely changed due to extremely personal circumstances. I could no longer visit multiple exhibitions in a day, frequently attend art festivals in Japan and abroad, and research new artists and galleries as enthusiastically as I used to. The exhibitions that are accessible to me now are almost exclusively those that I can see near my home or office in Tokyo for an hour or two a week, during the daytime on weekdays.

It is precisely because I find myself in such a situation now that I have to ask myself once again, "What is it that motivates us to make the effort to visit exhibitions and view works of art?" What kind of desire serves as the impetus? Conversely, this question can also be addressed to artists in a broader sense. That is, "Why indeed did you decide to devote the majority of your limited time to creating works of art?"

There are probably few people who have a clear answer to such queries. Most of the time, the way we live our lives is determined by mere happenstance. Therefore, what is important is to pause for a moment and contemplate how we are in fact making a vast number of decisions every day in "this" life.

For example, if I, as a resident of Tokyo, were living in a wheelchair, the number of exhibitions I could visit would naturally be limited. I would only be able to go to a museum once carefully researching the route from my home to the museum, and assessing that I could get there without any problems (on the other hand, the option of going to a commercial gallery located in an old warehouse or in a multi-tenant building would almost always be ruled out from the outset). In this case, it is not necessarily "aesthetic" criteria, such as preference of works or themes, that determine the priority of which exhibitions to visit. Of course, a certain degree of preference is involved, but in such a situation, the "practical" criterion of wheelchair accessibility should inevitably take precedence.

Or as a more general case, perhaps one could consider the following situation. Of the exhibitions "A, B, and C" that end this weekend, I want to go visit "A" the most. However, my partner, who I have promised to go out with that weekend, wants to go see "B" the most out of "A, B, and C."

Have something that defines my judgment

Then, as a result of trying to reach a mutual decision that takes into account the wishes and intentions of both parties, it is indeed quite possible to arrive at the decision of going to see "C," which both have a reasonable interest in.

As can be understood from these cases, there is no such thing as a pure judgment of taste within the context of our everyday lives. Most discussions concerning aesthetics, including the critiques of Immanuel Kant, are attempts to consider it on an ideological level, and "pure" judgment of taste devoid of any interest would rarely arise in pragmatic situations. Of course, this is not in the slightest way to question the validity of aesthetics itself. However, when it comes to the level of how we perceive works of art, it seems that in most cases we have no choice but to regard them as mere fiction, if we were to engage with them as possessors of a pure "gaze" or pure "senses." [1]

Something similar applies to making a work of art. The main reason for this is that the person who creates the work is in themselves a finite being. Human creation, unlike that of God, is under no circumstances timeless. [2] We all have a "time limit." Even if there may not be a time limit that is extraneously assigned to us, the finitude of our very lives — that is, death — imposes a deadline for works of art. The same thing can be said for materials. If you are a person who can use any material in this world at your disposal, the situation may be different. In reality, however, artists have limited funds to procure materials and tools, and thus create their works within those limitations. In this sense, not only the appreciation of art but also its production could be described as being encroached by a logic that differs from that of pure judgment of taste.

2 Sociality

Our judgments are always executed within a finite number of choices. Should we desire something, it is not possible to wish for "everything." Judgments are made within a myriad of constraints, and this indeed is the first characteristic that underlies all human judgment.

Having established this point, I would like to discuss a few things about the psychology that inevitably arises in the appreciation of works of art. Recently, works with a strong social commitment, as typified by Socially Engaged Art (SEA), have increased their presence. In relation to this, there is a tendency for aesthetic judgment, which has long been unavoidable in the evaluation of works of art, to recede into the background. What seems to be emphasized instead, is ethical judgment.

For the time being, let us not question the academic and critical meaning of this. That which concerns me at this time is the following fact. While it may be difficult to reach a consensus on the aesthetic evaluation (good/bad) of a work of art, if a discussion were held regarding the ethical evaluation (good/bad) of the same work, the resulting opinions and responses would likely be similar. To be more specific, even viewers who do not have clear criteria for evaluating works of contemporary art — which in fact is the case for most viewers — would probably agree with these criteria relatively easily should they be given an explanation on the social significance of socially-engaged art works. If we reduce this to a somewhat simpler hypothesis, it would be as follows.

Even if someone is unable to immediately digest the "aesthetic value" that is shared to a certain extent within contemporary art, if the "ethical value" of its social effect were to be put to discussion, that person in question may indeed more actively express their approval.

Naturally, this does not necessarily mean that ethical judgments are simpler than aesthetic judgments. There may be cases in which it is difficult to determine the right or wrong of an act implemented under complicated circumstances (and for this reason there is a court of law). However, the general observation seems to be that when it comes to a work of art, even viewers who may show reluctance in "aesthetic" evaluation, are not hesitant to evaluate its achievements from an "ethical" perspective.

For instance, I have no interest in growing morning glories with strangers, but I know that a project that facilitates connections between people by doing so is considered a reasonably popular form of "art" in this country. Since I am not interested in growing morning glories with strangers, I can hardly make an "aesthetic" judgment that the project is a good work of art, nor can I make an "ethical" judgment that it is somehow a good thing. On the other hand, I don't see anything strange about the mechanism by which a person with a very standard mindset would consider such work as being highly ethical. Even if one does not take it upon oneself to positively evaluate it (as a work of art), it would be rare for someone to assert that this kind of activity is "evil."

As a simple empirical theory that is by no means philosophical in nature, I believe that many adults are able to exercise some form of judgment or another regarding "truth, goodness, and beauty" with a certain degree of conviction. Nevertheless, judgments related to "beauty" are made at best about the beauty of flowers or sunsets. In the case of a work of art, where complex parameters are involved due to its artificial nature, it is rare for anyone to confidently undertake a commentary. Perhaps this is the reason why a person who is silent in front of a work that is the product of the artist's complex aesthetic judgment, can speak eloquently about the ethics of another work that appears to be more socially engaged.

3 Ethics

Incidentally, it would probably not be unreasonable to define a work of art, in which the artist's intentions have been thoroughly conveyed to every detail, as per follows. A work of art is something in which the artist's "jouissant obsessions" have acquired a certain degree of constancy and continuity. [*3] This is because a work of art is fundamentally an aggregation of various judgments, large and small, of the artist who created it. From conception to realization, there are often countless judgments involved in the creation of a single work. Of course, there may be cases in which a certain amount of ethical judgment intervenes in relation to the subject matter or motif of the work. However, needless to say that aesthetic judgment plays a major role as long as the work is a work of art.

The phrase "needless to say," which I just mentioned, is precisely a major issue that is often at stake today. It goes without saying that the artist's aesthetic judgment is (or should be) of utmost significance in a work of art. Otherwise, there would be little point in presenting it to the world as a work of art.

At the same time, however, it is no secret that importance is increasingly being attached to ethical judgments contained in works of art. For example, in the case of a work that uses film, a reasonable percentage of all judgments are based on what is referred to as "compliance" in the corporate world, such as whether or not the subject being filmed is treated unfairly, or whether or not there is anything inappropriate in the filming or editing methods.

That in itself is a given that should neither be affirmed nor denied. The problem is that, as pointed out in previously, ethical judgments can be simplified more easily than aesthetic judgments. In other words, if one were to again raise the example of film works, a single film which has been elaborately filmed and edited may be positioned outside the scope of being evaluated as a work of art if the performers were to have been treated unfairly or inappropriately. Alternatively, it is easy to imagine a case whereby a highly mediocre film attracts attention due to media coverage that all its proceeds would be donated to charity.

I am by no means attempting to unfairly understate the ethical parameters inside and outside of the work. I am simply saddened by the joys and sorrows of works of art, which are essentially constructions created in correspondence to the artist's "jouissant obsessions," often being unfairly treated according to ethical standards that reside in a different dimension from those of the artist. Ethical judgments are certainly important. Nevertheless, isn't what is traditionally referred to as a work of art constructed in a way that is somewhat independent of such territory?

That which I have written thus far has little to do with recent talk regarding the unhealthy structure of the art industry or allegations of it being a hotbed for harassment. What I am trying to articulate is that we should once again recognize the distorted nature of evaluating a work of art, which consists of countless variables of aesthetic judgment, with variables of ethical parameters that are one or two orders of magnitude smaller.

4 In Closing

Finally, I would like to conclude this essay by pointing out that the gesture of condemning a work of art from an ethical perspective is to underestimate the very potential of ethical judgment. Perhaps the more one is exposed to various works of art on a daily basis, the more accurately one understands the diversity of the aesthetic judgments that reside there. There is never just one parameter for determining whether a work of art is good or bad. Multiple parameters serve to constitute a work of art, and they cannot be derived through mere mechanical arithmetic operations. In the same way, the more one is exposed to many people and many cultures, the more likely one is able to correctly recognize the diversity of the ethical judgments that are present.

Most of our perceptions of rightness and goodness are only but one aspect of it.

Just as there are as many different kinds of rightness and goodness as there are people and societies, there should never be a monolithic scale by which to judge them. Nevertheless, why is it that the illusion arises as if aesthetic judgments are diverse (there is no consensus) and ethical judgments are monolithic (there is consensus)? What we should consider now is not only short-term phenomena such as the "social turn" or "ethical turn"[4] of contemporary art, but also the imbalance between different types of judgments and the failure of judgment that is brought about as a result.

[1]   Although the background is somewhat different from our discussion, Bourdieu's criticism of Kant under the insignia of "social" judgment also seems to have been based on the same awareness of the issues as described here. Pierre Bourdieu, *La Distinction. Critique sociale du jugement*, Paris, Minuit, 1979.

[2]   A key point regarding the chapter "Creation / Creativity" (pp. 98-106) in Kenichi Sasaki, *Dictionary of Aesthetics* (University of Tokyo Press, 1995) is that it appropriately discussed the significance of creation by "finite" human beings. The term "Creator" originally refers to God in the Book of Genesis, yet while God's creation is infinite and timeless, human creation is finite and temporal. The significance of this phrase cannot be overemphasized: "One's creativity is rather thought to reside in the transformation of this finitude into a positive factor" (p. 102).

[3]   The term "jouissant obsession" is referenced from Masaya Chiba, *The Philosophy of Study* (Bungeishunju, 2017) (p. 104). As is well known, "jouissance (enjoyment)" is one of Jacques Lacan's main concepts, yet it does not have such a strong connotation here. Rather, it is used to refer to a certain vague obsession that one cannot quite explain the reason for. It should be noted that in the same book, the narrative consisting of "jouissant obsession" is also referred to as a "non-semantic form" (p. 107). This is precisely because all the plastic arts are an aggregation of countless "non-semantic forms."

[4]   Claire Bishop, "The Social Turn: Collaboration and Its Discontents," in *Artforum* 44 (2006), pp. 178-183.

Futoshi Hoshino

Futoshi Hoshino is an associate professor at the University of Tokyo. He received his M.A. (2007) and Ph.D. (2014) from the Graduate School of Arts and Sciences at the University of Tokyo.

His publications include *Parasitology* (Tokyo: Kodansha, 2023), *Sublime Liminality* (Tokyo: Filmart, 2022), *Practicing Aesthetics* (Tokyo: Suiseisha, 2021), *Rhetoric of the Sublime* (Tokyo: Getsuyosha, 2017) and so on.

He has translated books and essays by continental philosophers such as Jean-François Lyotard, Catherine Malabou, and Quentin Meillassoux.

Have something that defines my judgment

高柳恵里

1962年神奈川県生まれ
1988年多摩美術大学大学院美術研究科修了

主な個展

2022 「αMプロジェクト2022 判断の尺度 vol.1 高柳恵里｜比較、区別、
　　　類似点」gallery αM (東京)
2014 「油断」上野の森美術館ギャラリー (東京)
2013 「不意打ち」TIME & STYLE MIDTOWN (東京)
2003 「近作展28 高柳恵里」国立国際美術館 (大阪)

主なグループ展

2013 「つくる、つかう、つかまえる ─ いくつかの彫刻から」
　　　東京都現代美術館
2007 「20世紀美術探検」国立新美術館 (東京)
2003 「心の在り処」ルードヴィヒ美術館 (ブダペスト) / モスクワ市現代
　　　美術館
2001 「美術館を読み解く ─ 表慶館と現代の美術」東京国立博物館
1999 「ひそやかなラディカリズム」東京都現代美術館
1992 「彫刻の遠心力」国立国際美術館 (大阪)

加藤巧

1984年愛知県生まれ
大阪芸術大学美術学科卒業

主な個展

2022 「αMプロジェクト2022 判断の尺度 vol.2 加藤巧｜To Do」
　　　gallery αM (東京)
　　　「If it were」gallery N 神田社宅 (東京)
2021 「Re-touch」the three konohana (大阪)
　　　「Quarry」gallery N (名古屋)
2016 「ARRAY」the three konohana (大阪)

主なグループ展

2021 「2つの時代の平面・絵画表現 ─ 泉茂と6名の現代作家展」
　　　(企画: the three konohana・Yoshimi Arts)｜Yoshimi Arts会場 (大阪)
　　　「SUPERNATURE」White Conduit Projects (ロンドン)
2020 「VOCA展2020 現代美術の展望 ─ 新しい平面の作家たち」
　　　上野の森美術館 (東京)
2019 「タイムライン ─ 時間に触れるためのいくつかの方法」
　　　京都大学総合博物館
2018 「ニューミューテーション ─ 変・進・深化」京都芸術センター

Eri Takayanagi

1962 Born in Kanagawa Prefecture
Completed the Postgraduate Course, Tama Art University

Major Solo Exhibitions

2022 "αM Project 2022 Have something that defines my judgment
　　　vol.1 Eri Takayanagi: Comparison, Distinction,
　　　Points of Similarity," gallery αM, Tokyo
2014 "yudan [Off guard]," The Ueno Royal Museum, Tokyo
2013 "fuiuti [Surprise Attack]," TIME & STYLE MIDTOWN, Tokyo
2003 "Recent Works 28 Eri Takayanagi,"
　　　The National Museum of Art, Osaka

Major Group Exhibitions

2013 "Acts of Sculpture ─ Use, Capture, Create,"
　　　Museum of Contemporary Art Tokyo
2007 "Living in the Material World 'Things' in Art of the 20th
　　　Century and Beyond," The National Art Center, Tokyo
2003 "Kokoro no Arika: Location of the Spirit," Ludwig Museum
　　　Budapest, Hungary / Moscow Museum of Modern Art, Russia
2001 "Reading the Art Museum-Hyokeikan and Art of Today,"
　　　Tokyo National Museum
1999 "MOT ANNUAL 1999: Modest Radicalism,"
　　　Museum of Contemporary Art Tokyo
1992 "Centrifugal Sculpture ─ An Aspect of Japanese Sculpture in
　　　the Last Decade," The National Museum of Art, Osaka

Takumi Kato

1984 Born in Aichi Prefecture
Graduated from Osaka University of Art Undergraduate

Major Solo Exhibitions

2022 "αM Project 2022 Have something that defines my judgment
　　　vol.2 Takumi Kato: To Do," gallery αM, Tokyo
　　　"If it were," gallery N Kanda Branch, Tokyo
2021 "Re-touch," the three konohana, Osaka
　　　"Quarry," gallery N, Nagoya
2016 "ARRAY," the three konohana, Osaka

Major Group Exhibitions

2021 "Two-dimensional Expression over Two Eras: Shigeru Izumi
　　　and Six Contemporary Artists,"
　　　the three konohana-Yoshimi Arts｜Venue: Yoshimi Arts, Osaka
2020 "SUPERNATURE," White Conduit Projects, London, UK
　　　"VOCA ─ The Vision of Contemporary Art,"
　　　Ueno Royal Museum, Tokyo
2019 "TIMELINE: Multiple Measures to Touch Time,"
　　　The Kyoto University Museum
2018 "New Mutation: Transform, Progress and Deepen,"
　　　Kyoto Art Center

荒木優光

1981年山形県生まれ

音にまつわる体験や場の環境、フィールドワークを起点に、ド
キュメントとフィクションを織り交ぜた独自の音場空間を構築
する。インスタレーションやシアターピースのほか、コンサー
ト作品やツアー作品も手がける。
展覧会に「αMプロジェクト2022 判断の尺度 vol. 3 荒木優光｜
そよ風のような、出会い」(gallery αM, 2022)、「ダンスしないか?」
(長野県立美術館アートラボ, 2022)、「わたしとゾンビ」(京都市京セ
ラ美術館ザ・トライアングル, 2020) など。
コンサート作品・シアターピースに『サウンドトラックフォーミッ
ドナイト屯』(比叡山山頂、KYOTO EXPERIMENT, 2021)、『パブリッ
クアドレス 音場』(Kunstenfestivaldesarts, ブリュッセル, 2021) など。

大木裕之

1964年東京都生まれ

東京大学工学部建築学科在学中より映像制作を始め、89年
北海道松前町を中心にした映像作品群「松前君シリーズ」を
開始、90年『遊泳禁止』がイメージフォーラム・フェスティバル
審査員特別賞を受賞、96年『HEAVEN 6 BOX』が第46回ベ
ルリン国際映画祭ネットパック賞を受賞。その表現は映像の
みに留まらず、ドローイング、インスタレーション、パフォーマン
スにまで及ぶ。カメラを手に世界各地へ自らの身体を動かし
ながら、移動と生活と哲学の相関関係を探り、動的ネットワー
クで複雑に構成される世界を描き出す。膨大なイメージが次々
に重ねられていく独特な表現は国内外から高い評価を受け
ている。
展示に「αMプロジェクト2022 判断の尺度 vol.4 大木裕之｜tiger/
needle とらさんの墨汁針」(gallery αM, 2022) など。

Masamitsu Araki

Born in 1981, Yamagata Prefecture

Araki constructs unique acoustic spaces that interweave
documentary and fiction using his experiences of sound,
the place's environment, and fieldwork as starting points.
In addition to installations and theater pieces, he is also
involved in creating concert and touring works.
Major exhibitions include "αM Project 2022 Have something
that defines my judgment vol. 3 Masamitsu Araki: The Breeze
and You" (gallery αM, 2022), "Why don't you dance?" (Art Lab,
Nagano Prefectural Art Museum, 2022), and "Zombies and me"
(The Triangle, Kyocera Museum of Art, Kyoto, 2022). Recent concert
works and theater pieces include *Soundtrack for Midnight
TAMURO* (Mt. Hiei, KYOTOEXPERIMENT 2021 AUTUMN, 2021)
and *Public Address Sound of Place* (Kunstenfestivaldesarts,
Brussels, 2021).

Hiroyuki Oki

Born in Tokyo, 1964

He began producing video works in the second in the early
1980s, while he was pursuing studies in the Department
of Architecture in the University of Tokyo's Faculty of
Engineering. In 1989, he launched his *Matsumae-kun* series
consisting of video works made mainly in Matsumae-cho in
Hokkaido. He received the Special Jury Prize at the Image
Forum Festival for his film *Swimming Prohibited* in 1990, and
the NETPAC Award at the 46th Berlin International Film
Festival for his *HEAVEN 6 BOX* (1995) in 1996. His artistic
activities are by no means confined to video; they also extend
to drawing, installation, and performance. Oki stays in motion
and has traveled to various places around the world with
camera in hand. From the correlative nexus of travel, lifestyle,
and philosophy, he depicts a world endowed with a complex
composition by dynamic networking. He has been given the
highest accolades both inside and outside Japan for the unique
expression of his videos featuring a huge quantity of images
that follow each other in rapid succession. His exhibitions
include "αM Project 2022 Have something that defines my
judgment vol. 4 Hiroyuki Oki: tiger/needle" (gallery αM, 2022).

高嶋晋一＋中川周

1978年東京都生まれの高嶋と
1980年高知県生まれの中川によるユニット

2015年よりそれ自体は画面内に姿をみせないカメラの運動性
を基軸とした映像作品を制作している。
個展に「αMプロジェクト2022 判断の尺度 vol. 5 高嶋晋一＋
中川周｜無視できる」(gallery αM, 2022)、「経験不問」(Sprout
Curation, 2022)、「視点と支点 ── 最短距離のロードムービー」
(MEDIA SHOP｜gallery, 2019)。
グループ展に「それぞれの山水」(駒込倉庫, 2020)、「IMG」(Sprout
Curation, 2019)、「第10回恵比寿映像祭」(東京都写真美術館, 2018)
など。
ヴィデオ・スクリーニングに「あたかも二本の矢が正反対の方
向に飛び去ったあとの点のように」(岡山大学, 2019)など。

千葉真智子

豊田市美術館学芸員、愛知県生まれ

岡崎市美術博物館学芸員を経て2015年より現職。専門は近現
代美術およびデザイン。
主な企画に「αMプロジェクト2022 判断の尺度」(gallery αM,
2022)、「交歓するモダン 機能と装飾のポリフォニー」(豊田市美
術館, 2022)、「岡﨑乾二郎 視覚のカイソウ」(豊田市美術館, 2019)、
「切断してみる。── 二人の耕平」(豊田市美術館, 2017)、「ほんと
のうえの ツクリゴト」(岡崎市旧本多忠次邸, 2015)、「ユーモアと飛
躍 そこにふれる」(岡崎市美術博物館, 2013)など。

Shinichi Takashima + Shu Nakagawa

An artist unit consisting of Shinichi Takashima (b.1978, Tokyo)
and Shu Nakagawa (b.1980, Kochi Prefecture)

Since 2015, they have created video works centered
around the movements the camera, which itself does not make
an appearance on the screen.
Major Solo exhibitions include, "αM Project 2022 Have
something that defines my judgment vol. 5 Shinichi
Takashima + Shu Nakagawa: Negligible" (gallery αM, 2022),
"No Experience Necessary" (Sprout Curation, 2022),
and "Perspective and Pivot Point: The Shortcut Road Movie"
(MEDIA SHOP｜gallery, 2019).
They have taken part in the group exhibitions "Individual
Sansui" (Komagome SOKO, 2020), "IMG" (Sprout Curation, 2019),
and "Yebisu International Festival for Art and Alternative
Visions" (Tokyo Photographic Art Museum, 2018), among others.
Video Screenings include "Like the point from which two
arrows go out in opposite directions" (Okayama University, 2019).

Machiko Chiba

Curator at Toyota Municipal Museum of Art. Born in
Aichi Prefecture

After working as a curator at the Okazaki City Museum,
she assumed her current position in 2015. She specializes
in modern and contemporary art and design.
Her major exhibitions include "αM Project 2022 Have
something that defines my judgment" (gallery αM, 2022),
"Modern Synchronized and Stimulated Each Other:
The Polyphony of Function and Decoration" (Toyota Municipal
Museum of Art, 2022), "Kenjiro Okazaki: Retrospective Strata"
(Toyota Municipal Museum of Art, 2019), "work on five hypotheses
to cut off ...." (Toyota Municipal Museum of Art, 2017), "play on
the facts" (Okazaki City Former Residence of Honda Tadatsugu, 2015),
and "HUMOR and LEAP of THOUGHT: Far beyond our
recognizable world" (Okazaki City Museum, 2013).

謝辞

本展覧会の開催にあたり、ご協力賜りましたゲストキュレーター及び出品作家各氏、並びに、関係諸機関及び関係者各位に、深く感謝の意を表し、心より御礼申し上げます。(敬称略)

高柳恵里
加藤巧
荒木優光
大木裕之
高嶋晋一
中川周

星野太

高馬浩
TALION GALLERY

the three konohana
遊工房アートスペース

上原心
大淵晴香
清瀬未爽
香坂柚津希
竹岡大志
土佐友理咲
萩原凜
濱野萌々子
平本大輔
松本宗大
向井洋輔
八島碧
神林優美
木村悠介
米村優人
熊谷卓哉
金成基
大曾根麗奈
甲田徹
新庄範子

ANOMALY
浦野むつみ
大原由
小田切瑞穂
以倉寿哉
藤田敏正
TAV GALLARY
西村知巳
東大教養S1-5の皆様

下山彩
岩崎芳史
林正樹
ARTISTS' GUILD

石﨑朝子
大塚珠生
小杉真優
酒井風
鈴木小麦
鈴木調
肥田将磨
松橋萌
三ヶ尻晴登

Acknowledgments

We would like to express our sincere gratitude to the guest curator and exhibiting artists, as well as all individuals and organizations that provided their generous cooperation and support in realizing this exhibition. (Honorifics Omitted)

Eri Takayanagi
Takumi Kato
Masamitsu Araki
Hiroyuki Oki
Shinichi Takashima
Shu Nakagawa

Futoshi Foshino

Hiroshi Koma
TALION GALLERY

the three konohana
Youkobo Art Space

Kokoro Uehara
Haruka Obuchi
Misawa Kiyose
Yuzuki Kosaka
Daishi Takeoka
Yurisa Tosa
Rin Hagihara
Momoko Hamano
Daisuke Hiramoto
Sota Matsumoto
Yosuke Mukai
Midori Yashima
Yumi Kambayashi
Yusuke Kimura
Yuto Yonemura
Takuya Kumagai
Kim Song-Gi
Reina Osone
Toru Koda
Noriko Shinjo

ANOMALY
Mutsumi Urano
Yu Ohara
Mizuho Odagiri
Toshiya Ikura
Toshimasa Fujita
TAV GALLARY
Tomomi Nishimura
S1-5 classmate, the College of Arts and Sciences, the University of Tokyo

Aya Shimoyama
Yoshifumi Iwasaki
Masaki Hayashi
ARTISTS' GUILD

Asako Ishizaki
Tamaki Otsuka
Mahiro Kosugi
Fu Sakai
Komugi Suzuki
Shirabe Suzuki
Shoma Hida
Moe Matsuhashi
Haruto Mikajiri

Have
something
that
defines
my
judgment

判断の尺度

判断をめぐる
5つの視点

千葉真智子

作家 →

メディア →

他者 →

社会 →

別の可能体 →

作家における選択と判断

アガンベンがニーチェによる批判を引きながら
指摘したことは、カント以降、長らく作品の評価（美的判断）が、
創造の経験者である作家の視点ではなく、
鑑賞者の視点から語られてきたことであった。
そこで改めて、作家による選択や判断について問いを立てる。
作家の判断が、普遍的な良いを獲得するとしたら、
それは、外部からの要請を内在化しているからなのか。
あるいは、鑑賞者が無意識にも、
作家の判断をなぞることによって成立しているのか。
はたまた、より大きな外部がそれを可能にしているのか。
そのとき、作家が選択することのうちには、
作家としての態度の「正しさ」なるものがあるのだろうか。
作家が自らを更新することについて。

髙柳恵里

メディウムの批評性

そもそもジャンルにはそれ特有のメディウムがあり、
またメディウムには、それぞれ特有の性質がある。
したがって、そこには長年の使用の過程で
蓄積・形成された批評言語がおのずと顔を覗かせるだろう。
では、そのメディウムを使用しながらも、
固着した批評に帰着することなく、
新たなる批評を開くことは可能だろうか。
作家はメディウムをどのように扱うことが可能だろうか。
手癖を放りなげる。作家も。批評も。

加藤巧

正しさと社会の接合点

社会的、政治的であることは、
どのように造形と結合し得るか。
社会的、政治的であることを標榜することなく始まった
制作行為や造形行為が、それでもなお、
社会や政治に接続する可能性は多分にあるだろう。
では、実際に、それはどのように可能だろうか。
造形・創作言語と社会・政治言語をつなぐ。

大木裕之

他者の召喚

作品が個人を超えて共有され、
普遍的な良さを獲得するものだと仮定すれば、
そこには必ず、私以外の他者の存在、
他者の了解が想定されなければならない。
大袈裟にいえば、作品決定に至る判断を
他者に賭けることであり、それは、
いまここを超えた時間・空間軸で他者を考慮し、
作品を判断することだとも言える。
私を超えたそのような賭けは可能だろうか。

荒木優光

主体はどこにあるか

作品を制作する主体はどこにあるのか。
作品を見る私たちの主体は存在するのか。
最終的にアートにおいて何かしらの
判断が起動・機能することがあるとすれば、
それを作動させるのは誰・何になるのか。

高嶋晋一 + 中川周

執筆
千葉真智子
高柳恵里
加藤巧
荒木優光
大木裕之
高嶋晋一 + 中川周
星野太

翻訳
ベンジャー桂

αMプロジェクト2022
判断の尺度

会場撮影
守屋友樹

デザイン
大西正一

編集
千葉真智子
櫻井拓
神祥子 (gallery αM)

企画監修
gallery αM
(武蔵野美術大学 大学企画グループ 連携共創チーム)

〒162-0843
東京都新宿区市谷田町1-4 武蔵野美術大学市ヶ谷キャンパス2階
電話 03-5829-9109

Texts:
Machiko Chiba
Eri Takayanagi
Takumi Kato
Masamitsu Araki
Hiroyuki Oki
Shinichi Takashima + Shu Nakagawa
Futoshi Hoshino

English Translation:
Kei Benger

αM Project 2022
Have
something
that
defines
my
judgment

Photographs:
Yuki Moriya

Design:
Masakazu Onishi

Edited by:
Machiko Chiba
Hiroshi Sakurai
Sachiko Jin [gallery αM]

Planning Supervision:
gallery αM
Musashino Art University Academic Planning and External Affairs Division,
External Collaboration and Co-creation Section

2F, Musashino Art University Ichigaya Campus,
1-4 Ichigayatamachi, Shinjuku-ku, Tokyo 162-0843 Japan
Tel. +81-3-5829-9109

2023年12月25日　初版第1刷発行

編者
千葉真智子
gallery αM

発行者
白賀洋平

発行所
武蔵野美術大学出版局

〒180-8566
東京都武蔵野市吉祥寺東町3-3-7
電話　0422-23-0810（営業）

印刷・製本
株式会社ライブアートブックス

定価はカバーに表記してあります
乱丁・落丁本はお取り替えいたします
無断で本書の一部または全部を複写複製することは
著作権法上の例外を除き禁じられています

αMプロジェクト2022

判断の尺度

αM Project 2022

Have
something
that
defines
my
judgment

First edition issued in, December 2023

Editors:
Machiko Chiba
gallery αM

Publisher:
Musashino Art University Press
3-3-7 Kichijoji Higashi-cho Musashino-shi Tokyo, JAPAN
Tel. +81-422-23-0810

Printed and Bound by:
LIVE Art Books Inc.

The retail price is indicated on the book jacket.
We will replace the book should there be any manufacturing defects.
No part of this book may be reproduced without
prior permission from the publisher.